NADA CONSTA

ARQUIVO CRIMINAL

EST...

Assinatura do Identificado

Polegar Direito

último "Nada Consta" a gente nunca esquece...

Danilo "Japa" Nuha

NADA
CONSTA

GERAÇÃO

Copyright © 2016 by Danilo "Japa" Nuha

1ª edição — Fevereiro de 2017

Grafia atualizada segundo o Acordo Ortográfico da Língua Portuguesa
de 1990, que entrou em vigor no Brasil em 2009

Editor e Publisher
Luiz Fernando Emediato

Diretora Editorial
Fernanda Emediato

Assistente Editorial
Adriana Carvalho

Capa, Projeto Gráfico e Diagramação
Alan Maia

Preparação
Josías A. de Andrade

Revisão
Marcia Benjamim

DADOS INTERNACIONAIS DE CATALOGAÇÃO NA PUBLICAÇÃO (CIP)
(Câmara Brasileira do Livro, SP, Brasil)

Nuha, Danilo
   Nada consta / Danilo "Japa" Nuha.
São Paulo : Geração Editorial, 2017.

   ISBN 978-85-8130-371-0

   Ficção Brasileira 2. Nuha, Danilo
Gustavo, 1981- I. Título.

16-09196   CDD: 869.93

Índices para catálogo sistemático

1. Ficção: Literatura brasileira   869.93

GERAÇÃO EDITORIAL

Rua Gomes Freire, 225 — Lapa
CEP: 05075-010 — São Paulo — SP
Telefax.: (+ 55 11) 3256-4444
E-mail: geracaoeditorial@geracaoeditorial.com.br
www.geracaoeditorial.com.br

Impresso no Brasil
Printed in Brazil

Aos amigos, consagro,

Alfredinho (Bip Bip), Milton Nascimento, Hedney "Mestre" Okumoto, João Donato, Ivone Belem, Luiz Fernando Emediato, Braz Chediak, Leoclicia Alves, Renato Vieira, Marcus Preto, Julio Maria, Prof. Edson de História, Matias Bidart, Denilson Monteiro, Tom Cardoso, Paula Lavigne, Widor Santiago, Vanessa Wendy, Renata Mello, Tatiana Suárez Sodré e seu pai Amando, Kiko Continentino, Tom Veloso, Julia Saboia, Aurélio Kauffmann, Arthur Farinon, Ronaldo Lima, João Schmidt, Talmir de Menezes, Leila e Bruno (Bossa Nova e Cia.), Carlos Alberto (Toca do Vinicius), Denilson Lima, Adrian e Renan Okumoto, Antonio Zambujo, Roberta Sá, Luiz Carlos Santana, Rodrigo Pimenta, Tatiana Galvão, Gal Costa, Zeca Baleiro, Maria Gadu, Saulo Kikuchi, Sandro Massafera, Wesley Carvalho, Marcelão Panisset, Mosquito Roadie, Daniel Boone, Senninha, Raphael Pulga, Natália Guimarães, Tenente, Darck Fonseca, Duani, Mariana Aydar, Marcio Gama, Gastão Villeroy, Gabriel Sosa, Bruno Tasso, Símon Béchemin, Marcelo Barba Ruiva, Alexandre Ito, Rodrigo Shiká Shimabukuro, Marcelo Kimura, Takashi Kobayashi, Abe Nishida, Sérgio Japa Tattoo Sakurai, Gilberto Yoshinaga, Osny "Viejo Safado" Arashiro, Fátima Kamata, Antonio Lima, Baster Ega Muniz, Alexandre Bahia Maciel e Yara, Professor J.A. Zanatta, Tiago Gigante Cação, Clayton Salles, Daniela Ota, Fernanda Emediato, Marcos Morandi, Lincoln Cheib e Vick, Magno Abreu, Leandro Perez, Jana Pimenta, Gladis Linhares, Edson Krahô e família Ameríndia, Pedrinho do Cavaco, Augusto Kesrouani, Dilson Assis, Sue Saphira, Ricardo Brugni da Cruz, Cibele Lopes, Família Linhares: Amaury, Jana, Claudia, JP, JM, Marcela, Antonio Sabino, Marcelo, Branca e Laura; Pedro Burger, Capitão do Mar Luiz Nogueira e família, Carminho, JP Ruela, Vera Pelágio, Vinicius França e Isabela, Chico Alencar, Chico Buarque, Fábio Lig Lig, Wilson, Gilma, Thomaz e Beto Lopes, Julio Marcos, Eron Brum,

Renato Esteves, Jajá, Beth Campos, Marquinhos, João Vitor, Dadaia, Cecilia, Julia e Gilberto Basílio, Vanusa Campos, Lucas Guimaraens, Ricardo Vogt, Mardey Russo Nascimento e Ana, Paulo Lafayate, Renata Forte e Lucio, Gabi Carcaioli, Fabi Oliveira, Franco Kuster, Fabiano Cafure, Marcelo Courrege e Renata Heilborn, Paulo Simões e Karla, Chico Amaral, Ronaldo Bastos, Márcio Borges, Fernando Brant, Tavinho Moura, Orquestra Vai Quem Vem, Luz Divina, Diego Tresca, Pablo Ibanez, Rafael Orfei Dorilêo, Tiu Lui Tebaldi, Ponto de Partida, Meninos de Araçuaí, Almir Sater, Caio Bagini, Geraldo Magela e Seila Neves, Adolfo Okumoto, Dom Bugre "Bodeado" Giovani Tápia, Vô Benedito, Sevilha, Viviane Nuha, Natacha Leal, Criolo, Balbi "Freakhouse" Zebu, Leandro e Luciano Figueiredo, Vinil Moraes, Erick Barem, Marco Cardoso, Vitor Maia, Patricia Fernandes Rosa, Dani Pereira, Luiza e Ernani Broering, Dhyvana, Flávia Arruda e, em especial, ao Daniel Amorin, A.K.A. Cepa, goleiro, poeta e professor.

> Desde que me entendo
> nada me atormenta.
> Eu encaro a vida
> como ela se apresenta.
>
> **(Nelson Sargento)**

Como em tudo o que escrevi, creio nos meus vagabundos (...).

Porque só escrevendo sou inteiro. Tudo é meu então. Resta-me este grande bem. (...) Se não escrevo eu não sou ninguém. Se não amar o que escrevo, não escrevo. É uma a minha vontade e um, o meu propósito – não permitir que nada me afaste da literatura. Nem profissão, nem mulher, nem nada. Eu sou obrigado a fazer aquilo que gosto. E o dia em que não amar a vida, não querê-la e não retê-la, gostaria da morte. "Sem aviso prévio."

(João Antônio)

APPLICATION FOR EXTENSION OF PERIOD OF STAY

The Director General of **NAGOYA** 入国管理局長　殿　Regional Immigration Bureau

入国管理及び難民認定法第21条第2項の規定に基づき，次のとおり在留期間の更新を申請します
Pursuant to the provisions of Article 21, Paragraph 2 of the Immigration-Control and Refugee-Recognition Act, I hereby ~~ay.

	氏　Family name	名　Given names

国籍 Nationality **BRAZIL**　　2 氏名 Name **NUHA DANILO GUSTAVO**

性別 Sex (**Male**) Female　4 生年月日 Date of birth **1981** Year **8** Month **29** Day　5 出生地 Place of birth **CEN**

配偶者の有無 Marital status Married (**Single**)　7 職業 Occupation **EMPLOYEE**　8 本国における居住地 Home town / city **CENTRO / C**

日本における居住地 Address in Japan **NAGOYA-SHI, NAKA-KU, SAKAE 1-16-16, CHISA MANSION-616S**　電話番号 Telephone N~~

旅券 Passport (1)番号 Number **C5-580923**　(2)有効期限 Date of expiration **20/0** Year

上陸許可又は在留資格取得年月日 Date of entry or permission to acquire status of residence **2006** Year **7** Month **12** Day

現に有する在留資格 Status of residence **SPECIALIST IN HUMANIT(人文知識) INTERNATIONAL SERVICE**　在留期間 Period of stay **2 YEAR** Date of expiration **2007**

外国人登録証明書番号 Alien registration certification number ⑧**-342797401**

希望する在留期間 Desired length of extension **3 YEARS**

更新の理由 Reason for extension **EMPLOYMENT**

在日親族（父・母・配偶者・子・兄弟姉妹など）及び同居者
Family in Japan (Father, Mother, Spouse, Son, Daughter, Brother, Sister or others) or co-residents

続柄 Relationship	氏名 Name	生年月日 Date of birth	国籍 Nationality	同居 Residing with applicant or not	勤務先・通学先 Place of employment / school
~~ECE~~	NUHA VIVIANE NATIKO	1981/2/11 29	BRAZIL	はい・いいえ Yes / (No)	LONG TERM RESIDENCE
				はい・いいえ Yes / No	
				はい・いいえ Yes / No	
				はい・いいえ Yes / No	
				はい・いいえ Yes / No	
				はい・いいえ Yes / No	

様式その2及びその3にも記載してください（裏面参照）。 Note: Please fill in Form Part 2 and Part 3, (See Notes or ~~

官　用　欄　　FOR OFFICIAL USE ONLY

受

	E.	D.	NO.		外　国　人　登　録　番　号	

理

特受の場合 コード 特受　1.	目的コード	16-2の子の場合 コード 該当者　1.	取次の場合 コード 取次申請　1.

処

在留期間（事由発生年月日） 年　月　日	資格・期間コード	伸縮の場合 コード	抹消事由	条件 コード

Vou contar agora uma história
que aconteceu de verdade e que
eu inventei agorinha.
(O Amuleto de Ogum)

1.

Quando cheguei ao Rio, em 2009, o primeiro bar no qual pus os pés em Copacabana foi o Bip Bip. Já tinha passado uma temporada de trinta dias com dezessete travestis numa pensão da rua Paula Matos, perto da escadaria, e arrumado trabalho como vendedor de livros no Beco das Garrafas. Foi muita sorte chegar ao Rio e, já no terceiro dia batendo perna à procura de algo, aparecer uma vaga para tocar todos os dias no Beco.

Vender livros e discos era meu único jeito de fazer música. Beber até as quatro da manhã no Bip, tomar a saideira na rua Riachuelo e acordar às oito para chegar ao Beco às nove estava começando a dar seus sinais mais agressivos de ressaca severa nas primeiras duas horas de expediente e de sono bruto no meio da tarde. Entre nove e onze eu tinha que limpar os livros enquanto atendia. Quando os clientes iam embora, voltava para a limpeza. Muitos desses livros ficavam em estantes que desciam até meio metro de altura, e cada vez que eu abaixava de pano na mão era como levar um cruzado do Mike Tyson direto na cabeça — a tonteira batia certo.

Zilda, uma preta sorriso aberto do Vidigal, que trabalhava como faxineira da pensão, deu a letra: "Conheço um lugar na Saint Roman, boca do Pavão-Pavãozinho. Lá, você consegue um canto com o mesmo preço que paga aqui e ainda fica perto do seu trabalho".

Eram tempos de tráfico. Ninguém falava em pacificação. Meu quarto ficava no terceiro andar da casa, com vista para o Copacabana Hotel e a avenida Nossa Senhora. Um colorido muito diferente daquele mofo apertado com os travestis da Paula Matos em guerra permanente. Mais diferente ainda do meu último inverno, em 2008, quando trabalhei na fábrica da Hamanako Densu\Hyunday, em Washizu, costa leste do Japão.

Os dias haviam mudado. Muito.

Já como morador do morro, desci para o asfalto e tomei a primeira de muitas duras que ainda tomaria da PM carioca.

"Aí *playboy*, chega mais. Comprou o quê? Preto ou branco?"

"Não, senhor, eu moro aqui na Saint Roman."

"Foda-se, encosta assim mesmo."

Esse tipo de procedimento virou parte da minha rotina durante todo o ano de 2009. O ano em que o Rio de Janeiro me deu boas-vindas.

Era uma noite de maio quando fui à procura do bar que uns amigos japoneses sempre falavam antes de eu ser preso em Tokyo. Nesse tempo eu frequentava todos os dias um bar de música brasileira chamado Urbana, que existiu durante anos no melhor pico de Nagoya, que abrange os bairros de Sakae e Fushimi.

Não andei mais que uma quadra até cair no asfalto e perceber que o tão falado Bip Bip ficava a quinze minutos da minha nova casa. Depois do Beco, esse foi meu segundo momento de êxtase no Rio. Eu era nada mais que um jornalista desempregado que tinha se tornado vendedor de livros. Mas a merda de ontem nem se compara à bosta de hoje. Quando beijei aquela calçada no coração da Almirante Gonçalves, pensei: "Sou o mais feliz dos homens".

A partir daquela noite, o Bip Bip passou a ser meu útero de todos os dias na cidade submersa.

2.

Chovia pesado naquela tarde quando chegou o último morador da República dos Compays. O fato de o apartamento 102 do edifício Del Toro possuir uma janela principal de frente para o hospital de Ipanema, na rua Antonio Parreiras, tinha vários significados.

Nosso bando era formado por Hugo Sosa, garçom do Zissou, um bistrô catalão-argentino em Botafogo, Primo Ito, vulgo "Jiban", baixista da OSB nos tempos do polêmico maestro Roberto Minczuk, e Matias Bidart, violonista argentino de Adrogué e titular da roda de bossa nova no Bip às quartas-feiras. Naquela primeira semana de novembro de 2013, todo mundo corria na mesma direção: pagar o aluguel no dia cinco.

O resto era lucro. A gente se virava. Mesmo na chuva, o Rio mantém seu charme.

Fim de mês era uma luta. Enquanto não aparecia nada de bom, vivíamos somente a esperar o bonde da próxima noite. Porém, nem tudo era porralouquice em nosso cotidiano. Todos tinham seus bicos, mas o dinheiro nunca era suficiente para quem ficava circulando em pés-sujos durante praticamente o ano inteiro.

Como não viemos ao mundo pela zona sul, com rosto de galã e família novela das oito, tentamos superar isso com estilo, bom humor e imaginação. Sempre cordial, nunca rude. Mesmo quando o paraquedas não abre.

Nas fronteiras entre Copacabana e Ipanema a circulação era livre, sobretudo nos bares. De vez em quando acontecia um boteco de grife, mas só quando alguém segurava a conta. Do contrário, nos restava a opção infalível de frequentar as praças onde já tínhamos o luxo da pendura. E eram muitas.

Mas nenhum outro lugar no Rio de Janeiro nos recebia tão bem quanto o Bip Bip. Ali, na altura do Posto 5, encravado na Almirante Gonçalves, estava nosso refúgio daqueles dias de histeria. Copa do Mundo. Rock in Rio. Olimpíadas. As coisas estavam estranhas. "Mas quando as coisas ficam estranhas, os estranhos viram profissionais", já dizia o manual da *Grande caçada aos tubarões*.

Alfredinho era nosso pastor. A maioria das decisões que tomávamos durante aquelas madrugadas eram resolvidas diante da figura dessa entidade encarnada à mesa do Bip havia mais de trinta anos. Quase todas as mulheres que frequentavam a República dos Compays saíam de lá. Na maioria das vezes com a ajuda dele, que puxava a ficha e depois encaminhava para alguém da tropa.

Tudo que a gente fazia naqueles dias de crise passava por esse pedaço de Copacabana. As brigas, as demissões, as mulheres perdidas, os despejos, a falta de dinheiro, de perspectiva, as lembranças, a distância e, principalmente, as conquistas, as farras, as bebedeiras e os empates. Enfim, toda essa travessia tinha o Bip como pano de fundo.

Era o único lugar para onde todo mundo voltava.

A peregrinação não tinha muita ordem. Às vezes começava pelo Panamá, na Aires Saldanha, numa área lotada de bares. Belmonte, Boteco das Garrafas, China, Hepteto, Castilho's, A Chave e The Place. Nessa primeira parada nunca menos que seis originais e duas salinas.

Também acontecia de o primeiro passo ser dado no Papillon, depois das três, na Barata Ribeiro com Miguel Lemos. Com o sol queimando forte na areia era ainda mais complicado. Suportar vestígios de ressaca na mesa pegando fogo do Papillon não era fácil. Por outro lado, a chuva era a desculpa perfeita para se esconder ali.

Outras entradas também estavam disponíveis. Na Souza Lima, o Bunda de Fora, com suas mesas de plástico, cadeiras sem encosto e vista para um canto do mar. Pastel de tudo quanto é jeito, bolinhos, caldo de feijão, Serra Malte, Original, Ambev e cachaça. Tinha um garçom flamenguista, que a gente chamava de Gaúcho, que sempre colava na nossa. Assim como o cozinheiro, Seu Zé, e o João, gerente e jogador temido nas mesas de cartas atrás da barraca de ovos, ao lado da banca 24 horas. Difícil um dia sem briga. Era lei algum cliente antigo xingar o João por causa de contas passadas, outros discutirem entre si ou rolar uma treta qualquer entre um grupo de sessentonas solteiras que faziam dali seu principal quartel havia anos.

Ao lado do Bunda de Fora, dois bares colados um no outro e do mesmo dono: Gallitos e Garota de Copacabana; este último no calçadão. Com tanto chope falsificado, era um dos poucos resistentes, ainda sim não completamente honesto. A vista era boa, dava para ver o Forte e imaginar a luta.

Agora, quando o golpe batia na boca, a Adega Pérola era derrame. Poucas vezes a calçada na Siqueira Campos ficava vazia. Do balcão para dentro, a gente conhecia tudo. Menos os donos, cujos nomes até hoje ninguém sabe. Nossos camaradas eram dois dos garçons mais antigos no turno das quatro até meia-noite, Kaká e Elton, e o gerente geral da noite, Denílson.

Após as entradas, independentemente de quais tinham sido as escolhas, nosso destino final tinha sempre o mesmo endereço: Almirante Gonçalves, 50. Copacabana.

3.

Binha do Cavaco estava na fúria. Tocava horas sem beber nem um gole, nem água. Ao seu lado, um gordinho de voz lírica mandava todos os choros com letra. Na mesa da diretoria, Alfredinho com seu copo de vinho, duas cervejas e as presenças de Hugo Sosa e Matias. Logo em seguida chegou Jiban, que vinha direto do pastel chinês, da Sá Ferreira. Todos prontos para começar os trabalhos.

A chuva foi intensa naqueles dias entre seis e catorze de novembro de 2013. O toldo do Bip quase não aguentava. Na hora de fumar um cigarro a gente se molhava todo. Mas o som não parava. O choro saindo do cavaco barra-pesada do Binha era capaz de grande força.

Muitas vezes voltávamos derrotados. Os tempos estavam escassos. Tenho a impressão de que depois de cinco anos frequentando o Bip, minha idade ultrapassou a da geração que segue o Alfredinho nos dias de hoje. Na quinta-feira, por exemplo, quando a faixa etária da roda de samba girava entre os vinte e trinta anos, a noite era sempre muito perfumada. Por outro lado, a disputa era bravíssima, guerra mesmo entre os gladiadores. A turma de músicos que ficava tocando na roda

quase sempre se dava bem, pois várias das gatinhas vindas do mais valioso circuito do ouro universal — Copacabana-Ipanema-Leblon — já tinham os olhares presos em alguém. Todos, sem exceção — meninas e meninos, homens e mulheres, descompromissados ou não —, iam ao Bip tendo somente um objetivo depois da música: a caça.

A regra era simples. Quando acontecia o momento sublime da paquera entre duas pessoas a lei máxima era não se afastar até que algo confirmasse a missão bem-sucedida. Já vi muitos casos de amor interrompidos por causa da ida de uma das partes ao banheiro. Como existe somente um, onde masculinos e femininos dividem o mesmo espaço, quando o bar está cheio a fila é um ingrediente a mais. Nesse caso, duas situações podem acontecer. Cena 1: a pessoa que foi ao banheiro pode facilmente engatar uma conversa cara a cara, de corpo colado, sentindo o cheiro um do outro no corredor apertado do Bip. Cena 2: o lado que ficou esperando pode mais facilmente ainda ser abordado e ainda ter o privilégio de sentir a brisa poderosa do mar que invade a calçada cravejada de diamantes da Almirante Gonçalves, naquele bafo quente do Bip Bip, na nossa amante eterna, sempre ela, Copacabana.

As noites de verão no Rio eram um espetáculo sério de histeria coletiva. Tudo sempre muito intenso. O samba, o choro, a bossa, o tesão sem solução e a nossa cachaça diária eram a trilha daquele fim de 2013 e começo de 2014. Dentro do Bip, em qualquer noite entre dezembro e março, as coisas tinham uma mística única. A vibração que emanava das pessoas se esfregando na disputa pelo espaço dentro dos limites daqueles dezoito metros quadrados era tanta que, pode acreditar, as geladeiras não aguentavam e a cerveja ficava quente, suada. Agora, a mocidade ficava louca mesmo quando uma daquelas meninas banhadas ao sol diário do Arpoador passava a latinha de cerveja em volta do pescoço para se refrescar, como se alguém estivesse com a língua ali, suavemente, e depois dava o gole mais delicioso de todos os venenos. Isso, meus amigos, era o céu.

Ninguém chega ao Bip à toa. Sempre existe alguma razão. A nossa, por exemplo, era simples: o único lugar do mundo onde cães sem dono não eram escorraçados. Tudo isso graças ao Alfredinho, que acolhia todo tipo de figura da fauna e da flora que surgia naquele pedaço de Copacabana.

Mas não se iluda: tudo era estudado com cautela. Qualquer vacilo e a famosa bronca explodia, seguida de uma expulsão humilhante e, muitas vezes, traumática. Já vi um italiano de cabeça raspada dizer numa roda lotada que gostava muito do Berlusconi. Foi expulso da pior forma possível, sem chance de defesa. Mas como o gringo gostava muito de samba, decidiu voltar. "Alfredo, pensei bem e você está certo! Não gosto mais do Berlusconi." Alfredinho perdoou o italiano, virou de costas e falou pra gente: "Puta merda, prefiriria que esse careca safado tivesse continuado de direita! Imagina um filho da puta desses na esquerda!", finalizou, antes de pedir mais vinho ao Matias.

4.

Eu andava tão excitado com o fato de trabalhar no Beco das Garrafas, ser frequentador do Bip e ainda morar na subida do morro, que isso influenciava diretamente nos meus sonhos. Era normal sonhar que estava comendo o calçadão de Copacabana. Socando mesmo, com força, no pelo, sem nada.

No primeiro mês que passei na ladeira Saint Roman, chegava tão cansado do trabalho e bêbado do Bip, que dormia três segundos depois de deitar na cama. Mas sempre ouvia o grito dos garotos madrugada adentro, pela manhã, de tarde e à noite: "Pó de dez! Pó de cinco! Maconha de cinquenta! Maconha de dez! Maconha de vinte!". Fiquei uns dias pensando que era brincadeira de garoto, até me deparar com um verdadeiro ceasa das drogas bem na frente da janela do meu banheiro.

Numa escadaria que começava na Saint Roman e terminava na igreja, ficava — vinte e quatro horas por dia — uma dezena de homens e meninos com sacos imensos, como se fosse verdura exposta na feira, com maconha, cocaína e dinheiro, muito dinheiro. Os sacos

eram divididos pelos preços. Nas noites mais quentes formavam-se filas imensas na subida da escadaria. O problema era na hora de descer o morro. Mas, como ainda não havia repressão intensiva na subida, o BOPE fingia tomar café na Sá Ferreira e a gente passava.

No morro não demora muito para sacarem sua rotina. Meus horários eram sempre os mesmos. Saída para o trabalho: oito e meia; chegada do Bip: quatro da manhã ou mais. Já conhecia todos os soldados, de cada turno. Às vezes eles trocavam. Bastam seis meses passando todos os dias na feira, subindo e descendo o morro pra todo mundo se ligar no novo. Os primeiros a sacarem a movimentação eram os mototaxistas que ficavam na entrada do Pavão. Discretos, observavam tudo. Depois as sentinelas da polícia, que também ficavam no mesmo lugar, seguidas pelos nordestinos que trabalhavam nos botecos ao longo da Saint Roman e, por último, a rapaziada da boca. Eram eles que subiam e pagavam pra ver.

Eram oito da manhã de um dia frio de junho em 2009, quando tomava banho. O banheiro não tinha porta e a frente da quitinete dava de cara pra ele. Tudo foi tão rápido, que nem percebi quando o negão pulou na varanda e ficou de frente pra mim. "Fala aí, irmão. Pode ficar tranquilo que eu só vim dar um conferre." Fiquei na minha. Tinha apenas uma mala no quarto e um pouco de roupa na cama. Escutei o barulho da mala se abrindo e o som dos livros sendo jogados no chão. "Que merda!", gritou ele. De repente, escuto o barulho de chinelos indo para a minha varanda. Foi quando chegou o grito derradeiro que me deu o direito definitivo de andar livre pelo morro: "Olha aí, rapaziada!", gritou ele para o pessoal que estava de fuzil na feira. "Tá tranquilo! O índio aqui do 302 é filósofo! Não tem porra nenhuma no quarto, só livro."

Naquele instante, passei a ser chamado de Índio por uns e de Filósofo, por outros.

5.

Após seis meses levando a vida que eu sempre quis, o único problema era grana — do total, a maior parte ficava no aluguel e o que sobrava era malabarismo puro.

Uma coisa em que eu sempre prestava atenção quando ia falar com um ou outro conhecido da boca era o movimento dos contadores, pessoal responsável pela contabilidade do produto. Exatamente um ano antes eu já havia tido a experiência de ser assistente, em Washizu, na boca do meu primo Bodão, lendário surfista *freestyle* da costa leste japonesa, operário de fábrica, contrabandista de roupas falsificadas no roteiro Bali-Tóquio e traficante de drogas no Japão. Toda minha experiência como aspirante a bandido eu tinha adquirido com ele, um cara que até hoje recebe tratamento de mito em qualquer praia que ainda tenha onda no Japão.

A primeira coisa que Bodão me ensinou foi como comprar cristal dos traficantes iranianos de Hamamatsu, à qual Washizu pertence. Lá, Bodão centralizava suas vendas. Ele me passou o

telefone do iraniano. A coisa toda era muito simples: eu ligava, marcava um ponto de encontro no centro e ele me falava o modelo do carro que estaria dirigindo. Meu primo guiava o carro em que estávamos. Quando o iraniano chegava, eu descia do nosso carro e entrava no deles. Os iranianos ficavam dando voltas por toda Hamamatsu até que estivessem certos de que a polícia estava a quilômetros de distância. Para isso, contavam com a ajuda de um radar preso ao painel, que passava a localização exata da viatura de polícia mais próxima.

Durante o percurso já negociávamos a mercadoria. Cada pedra de cristal custava dez mil ienes. Revendíamos cada uma por quinze. Toda a nossa venda era por encomenda. De segunda a sábado, durante o trabalho na fábrica da HD-Hyundai, recebíamos solicitações de cristal e maconha. O verde, cuja renda tinha 100% de lucro, era meu primo que plantava na varanda do apartamento e dentro de armários com luzes especiais. Tudo isso tinha sido estudado por ele em detalhes enquanto passou dois anos surfando e morando dentro de um carro com fogão na Nova Zelândia.

O apartamento se transformava numa peça de teatro quando a mercadoria chegava. Um a um os operários iam chegando para pegar seus produtos. Tinha de tudo em cena, desde brasileiros da primeira leva forte de imigração, em 1989, até trabalhadoras de meia-idade cansadas da rotina massacrante dentro de uma fábrica — doze horas por dia, seis dias por semana fazendo o mesmo movimento. Pega e passa. Pega e passa. Pega e passa.

A segunda modalidade que aprendi com Bodão foi como pegar um voo para o aeroporto de Denpassar, em Bali, na Indonésia, comprar duas malas de roupas falsificadas da Billabong, Oakley e Quiksilver, voltar para o Japão, expor tudo no capô de um carro e vender a mercadoria nas praias mais badaladas do verão japonês: Nijima, Irago, Shiomi, Tahara, Bika e Washizu.

Nosso contato em Bali era Takafi Kobayashi, filho de um *oyabun* (chefão) da Yakuza em Osaka, que tinha sofrido um enfarto fulminante em 2001. A cidade de Osaka é conhecida por abrigar quadros de alta patente na máfia desde o século XVIII, mas, por ironia, também é berço de alguns dos humoristas mais famosos do Japão até os dias de hoje. Essa contradição pode ter sido a maior causadora do coração paralisado do chefe mafioso. Taka sempre nos dizia que seu pai era um excelente humorista, e que fazia comédia desde a juventude. Ao mesmo tempo, era líder da maior (e mais violenta) facção da Yakuza em Osaka, com obrigações severas a cumprir.

Taka foi quem levou Bodão a um hotel chamado Bali Dwipa, que fica na rua Jl. Poppies Lane II, no meio da praia de Kuta. No quarto 51, Taka o apresentou aos guias balineses que tinham o contato das fábricas que melhor falsificavam roupas de *surf*. Bodão só comprava mercadorias de alto nível. Uma bermuda da Billabong era comprada por vinte dólares em Bali e vendida por cem no Japão. Ele tinha conhecimento para comprar todo tipo de vestuário masculino e feminino. Voltávamos para o Japão carregados. No verão, tínhamos três ocupações: operários, traficantes e vendedores de roupa falsificada na praia.

6.

A falta de dinheiro nos primeiros meses de Rio começou a incomodar tanto, que passei a pensar seriamente em procurar outra coisa mais quente, como nos tempos de Washizu. Até que encontrei R. Pulga, vulgo Produção, gerente geral da feira, um baixinho vascaíno fã de Lulu Santos que tinha a fuça do Romário. Perguntei a ele o que eu precisava para me tornar um contador.

"Índio, na boa, irmão. Esquece essa porra. Você é bandido tímido."

Ao mesmo tempo, maré de seca.

Estava no Ellas, um bar que fica na frente do Bip, quando vi uma gordinha de comportamento estranho sentada numa mesa perto da parede. Depois de ter bebido três cervejas sozinha, imaginei que não esperava por ninguém. Tomei coragem e perguntei se poderia sentar. "Não", ela respondeu. "Você está esperando alguém?" "Não", retrucou novamente. Então me aproximei para dar um beijo de despedida e estendi o braço para pegar na mão dela. Foi só quando senti o membro gelado na minha mão direita enquanto olhava nos seus olhos que percebi uma amputação a partir do antebraço. E como ela ficou o tempo todo encostada na parede, não tinha percebido até o cumprimento revelador e a tesourada derradeira.

Sem passar pela gordinha sem braço, parti pra outra.

Continuei na caçada. Duas velhinhas, daquelas muito bem conservadas, não paravam de olhar para onde eu estava. Eram daquele tipo característico que faz dança de salão, frequenta academia e sai para beber fim de semana com roupa de oncinha. Depois da terceira salinas tudo se transforma. Fui até a mesa onde estavam e joguei o máximo de cartadas possíveis. Não foi tão difícil ir embora com uma delas para um apartamento na Souza Lima. Ela entrou e foi direto para o quarto, vestiu uma camisola e ficou me esperando na cama enquanto eu ia ao banheiro. Como eu estava na dureza total, abri os armários para ver se conseguia levar na mochila pelo menos uma pasta de dentes ou alguns sabonetes. Foi quando me deparei com tubos e mais tubos de Corega. Era tarde demais. Voltei para a cama como se nada tivesse acontecido. Mas a visão dos tubos de Corega não saía da minha cabeça enquanto ela chupava meu pau.

7.

Desde pequeno me acostumei a viver todo tipo de situações. Quando tinha dois dias de vida, em 1981, fui deixado no balcão de um boteco na rua Sete de Setembro, em frente ao ex-caótico Mercado Municipal de Campo Grande, Mato Grosso do Sul, estado que tem fronteira seca com Paraguai e Bolívia. Quem me achou foi uma *nissei* com pouco mais de cinquenta anos, filha direta da geração que saiu da paradísiaca ilha de Okinawa rumo ao selvagem e violento Mato Grosso de 1914, ano inaugural da Estrada de Ferro Noroeste do Brasil em terras pantaneiras do sul.

Ainda criança, ouvia pela boca da rapaziada mais velha que eu era tão feio e desnutrido, que minha mãe ficou seis meses tentando me passar pra frente.

Minha esquisitice — extrema, segundo alguns dos protagonistas ainda vivos — espantava todos os candidatos à adoção. Depois do sexto mês de tentativas frustradas, o casal de okinawanos finalmente decidiu ficar comigo.

Perto do Bar Boa Sorte, boteco de meus pais, havia um cartório. Por acaso, o escrivão bebia pinga de carqueja no bar naquela tarde quando minha mãe perguntou a ele como registrar um bebê sem ter que entrar em fila de adoção. Ele disse que se ela fizesse o trâmite como se eu fosse filho natural, minha certidão de nascimento sairia na hora. Ressaltou ainda que não havia problema nenhum no fato de eles não terem mais idade para ter filhos e, muito menos ainda, que eu tivesse cara de índio paraguaio e eles de japonês puro-sangue. "Deixa comigo, Dona Isabel, eu dou um jeito. Mas a senhora vai precisar de três testemunhas."

Minha mãe, que na verdade se chama Setsuco, mas que fora apelidada de Dona Isabel pelos clientes bebuns, saiu na rua e gritou pelo Seu Zé, o Bico-Doce, que trabalhava na peixaria logo em frente. Voltou para o bar e convenceu também o japonês da mercearia, Tomas Yokoo, que estava dividindo uma cerveja com o velho Brás, vendedor de redes que circulava praticamente todos os dias com a mesma camisa desde 12 de setembro de 1973, data exata da noite em que a ganhou do atacante Ivo Sodré, do Comercial.

Tratava-se do uniforme usado por ele na inacreditável vitória de 1 x 0 contra o poderoso Santos, que jogou em Campo Grande com Pelé, Edu e Clodoaldo, três dos maiores jogadores da história do futebol. Um feito desse tipo atualmente pode se comparar a uma vitória do Comercial (hoje na série D do Brasileiro) contra o Barcelona de Messi, Neymar e Suárez. Mas, apesar do gol marcado pelo atacante comercialino Gil, foi Ivo Sodré, camisa 10 do Colorado, o responsável pelo maior feito do futebol no Mato Grosso do Sul: não se fez de rogado e, com a vitória na mão, aplicou um chapéu no Rei, para delírio dos mais de 20 mil torcedores presentes no estádio Morenão. A camisa que Brás vestia quando foi me registrar no cartório, em 1981, foi a mesma usada por Ivo Sodré contra o Santos em 1973.

Depois de formada a comitiva de testemunhas, foram todos para o cartório. No caminho, minha irmã, que já tinha quase trinta anos

de idade, lembrou minha mãe de que, mesmo após seis meses da minha chegada ao balcão do bar, eu ainda não tinha nome. "Pode deixar, chegando lá a gente decide", tranquilizou Dona Isabel.

Quando chegou a hora de bater meu nome à máquina, a secretária perguntou: "Qual o nome da criança?". "Ele ainda não tem nome", respondeu minha mãe. "Então por que a senhora não coloca Danilo? Esse é um nome que tá ficando na moda agora, muita gente tá colocando."

Voltaram todos felizes para o Bar Boa Sorte, especialmente o escrivão e as testemunhas, que ganharam um mês de cachaça grátis por causa do serviço prestado. E, na falta de outro nome, decidiram mesmo aceitar a sugestão. Passei a me chamar Danilo e recebi o sobrenome okinawano de meus pais: Nuha.

8.

Nunca me esqueço daquele cheiro inconfundível de papel recém-saído da gráfica. Todos os dias, às quatro da manhã, uma kombi abarrotada de jornais estacionava em frente ao Bar Boa Sorte, esquina da Sete de Setembro com a travessa José Bacha, centro velho de Campo Grande. Era o início de mais um giro com as últimas notícias do *Diário da Serra* e do *Correio do Estado*. Aos nove anos, jornaleiro em início de carreira, essa foi a única alucinação que deu sentido à minha infância. E, com toda ingenuidade que a fase permite, não me restava nenhuma dúvida: o motorista da Kombi, um cara alto, barba por fazer, maço de Hollywood no bolso da camisa, sapatos engraxados e ar de intelectual, era o próprio jornalista que, logo após terminar o trabalho na redação, ainda se encarregava de entregar o jornal para dezenas de vendedores que se amontoavam na porta do boteco.

Me lembro também do ritual na hora da distribuição, quando os jornaleiros se organizavam numa fila de espera. Eu era sempre o primeiro a correr, mas ficava por último. Fazia isso porque queria

assistir a tudo sem perder nenhum detalhe daquela cena. Essa fascinação me fez alimentar a ideia de que o jornalismo seria a única escolha capaz de me deixar à vontade para seguir outras trilhas. Meu sonho era ser que nem o Luizão: jornalista e motorista de Kombi.

Antes de completar dez anos, já tinha me acostumado com o movimento dos travestis no banheiro do bar, escondendo o pau com fita, assim como as conversas de garçons, taxistas e prostitutas sobre o saldo da noite. Todos os dias, às três da manhã, começava o *show*. Quando chegava a hora de ir pra escola, na parte da tarde — trincado de sono — a bola e a figurinha já tinham ficado pra trás. Enquanto a gurizada brincava, eu batia punheta.

Aos doze anos de idade, passei de jornaleiro para balconista do Boa Sorte, onde fiquei até os dezesseis. O bar fechou em 1998. Tive que dar o fora. Precisava mudar de uma vez por todas a vida lúdica que levava no Pantanal. Um dia, meus pais perguntaram: "E aí, vai trabalhar ou estudar?". Respondi prontamente que queria continuar estudando. "Então, comece a pensar num emprego que te sustente", aconselhou meu pai, com seu ar sereno de buda nagô okinawano.

Acostumados a guerras, tufões, *tsunamis* e terremotos, a maioria dos japoneses, principalmente os mais velhos, desenvolveu um método único de manter a calma nos piores momentos de crise. Com extrema tranquilidade e frieza, organizam um plano, preparam a tática e executam sem pensar.

Inconscientemente influenciado por esse tipo de pensamento durante minha criação, optei por outros voos. Tomei o caminho contrário dos Nuha e segui o fluxo de dois irmãos que haviam deixado o Brasil rumo ao Japão em 1989, no auge da invasão de operários brasileiros à terra do sol nascente.

Organizei os documentos de meu pai, filho de Nagô, também na ilha de Okinawa, e consegui um visto de três anos para trabalhar no Japão. Cheguei lá no dia 16 de agosto de 1998.

A primeira escala foi numa fábrica de máquinas para cassinos, propriedade da Yamaguchi-Gumi, maior família de mafiosos do Japão, que ainda estava sob comando do extremista de direita Kazuo Taoka, mais conhecido como Kuma (urso, em japonês), pela maneira selvagem com que atacava os olhos de seus adversários.

Nessa época, fui morar em Nagoya (Aichi), num condomínio de nove prédios chamado Kyuban Danchi, quase todo habitado por estrangeiros, cuja maioria era formada por operários vindos do Peru, das Filipinas, da China, das Coreias, do Irã e do Brasil.

Por causa de um vacilo na hora de montar uma peça, acabei sendo demitido antes de completar o primeiro mês. Segui a sugestão de um amigo e comprei uma passagem de trem-bala direto para Hiroshima.

Lá, trabalhei onze meses como descarregador de mercadorias no porto. Depois, fui limpar fossa na mesma empresa, onde também ajudava no açougue, lidando com porcos e cortando carne estragada. Abandonei esse emprego logo depois de ser espancado por outro açougueiro brasileiro, Reginaldo, 29, paulista de Bauru, viciado em cristal, que partiu pra agressão após uma discussão imbecil sobre corte de carnes. Se não fosse a intromissão de Marcelo, o Barba Ruiva de Prudente, 36, açougueiro-mestre e metaleiro, a coisa poderia ter ficado ainda pior: um arsenal de facas "cabo branco" decorava o ambiente.

Passei dois anos entre Hiroshima e Fukuyama. Heroína, Cristal, Speed. Aditivo energético para os trabalhadores do cais. "O pico é pra aguentar a pegada. Senão a coisa fica preta. Preta até demais", resmungavam, cada dia mais raivosos.

No dia seguinte ao da prisão do iraniano que vendia em domicílio, encanei que iria cair junto, já que sempre falávamos por telefone. Novo emprego. Dessa vez, na cidade de Homihachiman, província de Shiga, onde trabalhei durante um ano numa fábrica de componentes eletrônicos. Serviço corrido, sujo, cercado de guaritas por todos os lados. Sem drogas. Rotina alcoólica, pesada, assídua até o osso.

Saquê de noite, cerveja de dia. Sem escolha, assinava tudo, todas. Após cumprir três anos de pena (ou sentença, como os operários costumam contar os anos trabalhados no Japão), havia me cansado do disfarce. Imigrante bêbado, brasileiro drogado. Precisava voltar. O sonho de ser jornalista ainda martelava.

O único problema é que eu não poderia voltar para o Brasil sem antes pegar meu passaporte, retido com o encarregado, que tinha em seu poder o documento de todos os trabalhadores estrangeiros da fábrica. Na primeira tentativa, fui desprezado, me mandaram voltar outra hora. Contei a situação para o Zé Galinha, nome verdadeiro de Caio Bagini, único *dekassegui* pernambucano com quem cruzei no Japão. Peão experiente, Zé me passou a cartada certeira. "Você só pega de volta o passaporte se fizer uma cagada das grandes." No mesmo dia, estraguei quase 700 aparelhos de fax imitando Chaplin naquela cena com a bola em *O Grande Ditador*. Foi uma redenção pra graxa. Com a galera delirando a cada peça que eu deixava cair. Na manhã seguinte, ao descobrirem tudo, os japas da chefia ficaram com tanta raiva, que me expulsaram de imediato. Mas, como os guardas não me deixaram pegar nada no quarto do alojamento — e só me entregaram uns uniformes imundos —, tive que voltar pro Brasil vestido com a farda curtida no mofo que usei durante quase toda temporada em Shiga. Mesmo assim, caminho livre. Após três anos de fuga, desembarquei em Campo Grande com dois mil dólares na palmilha esquerda do tênis e apenas uma mala com três uniformes sujos de óleo. Verão de 2001. O cheiro de jornal e madrugada estava de volta. Desta vez, ainda mais forte.

Do aeroporto fui direto para a casa da minha mãe, que passou a morar nos fundos do que era o Bar Boa Sorte, ao lado de um comércio que vende artigos de candomblé e umbanda, a Luz Divina. Nesses três anos em que estive fora, perdi dois dos meus três irmãos para uma diabete. Ambos tinham pouco mais de quarenta anos. Por último, meu pai, que aos 87 ainda nunca tinha entrado em hospital.

A única coisa que minha mãe comentou sobre isso quando cheguei foi o seguinte: "Tudo durou menos que uma noite. Seu pai entrou andando no hospital, naquele passo dele que você já sabe, como se estivesse indo à padaria da 26, como fazia todos os dias, igualzinho".

9.

Quando deixei Campo Grande, o continente asiático vivia a chamada "crise da Rússia", que depois afetou o mundo inteiro. Comecei a trabalhar em Hiroshima no auge desse caos. Tudo era incerto. Sob este tipo de tensão, aguentei três anos numa porrada de serviços, dos mais escrotos.

Nunca pude imaginar que, oito anos depois da minha primeira ida ao Oriente, o destino me colocaria de volta no mesmo barco.

Minha despedida se deu enquanto a seleção brasileira, com Adriano Imperador, Ronaldo Fenômeno, Kaká, Robinho e Ronaldinho Gaúcho, era derrotada pela França de Zinedine Zidane no mundial da Alemanha. De forma melancólica, e exatamente como em 1998 (quando Zidane também nos despachou de Paris), o Brasil dava adeus a uma Copa do Mundo e eu dava adeus ao Brasil. Tinha terminado a faculdade de comunicação em Campo Grande e consegui passar em um concurso realizado entre jornalistas recém-formados que fossem descendentes de japoneses. A vaga era para o jornal *Brasil Shimbun*, voltado para a comunidade brasileira no Japão.

Nessa minha segunda volta, em 2006, permaneci no arquipélago até o fim da crise de 2008, conhecida ainda hoje pelos *dekasseguis* como "a terrível".

10.

Ninguém mais se lembrava de quando havíamos comido pela última vez. Foram quase quatro dias de fritação. E faltavam somente mais dois tiros. O cristal já estava no fim. Logo iria começar a rebordosa. Em sua última carreira, Walter Pesadelo, que tinha ficado o tempo todo num revezamento frenético entre lâmpadas e canoas de papel-alumínio, sentiu uma pontada na nuca. A maratona de cristal havia começado na quinta-feira, logo depois de eu ter me encontrado com Pesadelo na saída da fábrica. Eram oito e meia da noite. Saímos dali direto para a estação de Shinjohara, onde cruzamos com um iraniano que nos passou quatro sacas de cristal por quarenta mil ienes.

Comprei quatro litros de saquê Gekkeikan numa conveniência Lawson e fomos para o apartamento do China, no Iwata Danchi, em Toyohashi. Comecei a empreitada numa lâmpada quebrada. Depois, lá pelo segundo dia sem colocar a cara pra fora, comecei a cheirar e não parei mais. Fiquei uma semana sem aparecer na fábrica. Já nem me lembrava havia quanto tempo repetia essa mesma cruzada:

maconha, rum, cocaína, saquê, cristal. Pesadelo costumava dizer que o saquê era legítimo. Só que, pelo tamanho da ressaca, não passava de água, arroz destilado e gasolina.

Nossa principal válvula de escape durante os anos no Japão era o cristal. A vida sempre nos conduzia direto ao encontro dessa pedrinha brilhante, fumada, cheirada ou, para os mais radicais, injetada. Tudo começa pela rotina terrorista que as fábricas impõem aos operários. Os turnos eram em regime duplo, uma semana de dia e outra de noite. A cabeça virava. Nas semanas de trabalho durante o dia, no inverno, era impossível ver o sol. Muitas fábricas de componentes eletrônicos não possuem janelas. Entre novembro e fevereiro, só começa a clarear depois das sete da manhã, horário de chegada do primeiro turno. E quando saíamos, às sete e meia da noite, já estava tudo escuro novamente. Durante as semanas com expediente à noite, era ainda mais confuso. Um bando de zumbis na porta da fábrica, imundos, encharcados pelo óleo grudento do inferno industrial de Kosai. Durante esse período, que pode levar até cinco meses com temperaturas extremas, tenho certeza, o diabo é japonês.

Quase todos os viciados japoneses com quem já fumei nunca se cansavam de falar que as primeiras experiências com o cristal japonês começaram dentro do exército, durante a Segunda Guerra Mundial. E o agrupamento onde tudo começou foi nada menos que o dos *kamikaze*. Somente essa informação já diz tudo sobre o que essa droga é capaz. Eles diziam também que os pilotos fumavam na modalidade canoa, a minha preferida. Consiste em fazer uma canoa de papel-alumínio e um canudo com o mesmo material. Um pedaço da pedra é solto na canoa e segurada com a mão esquerda, no caso dos destros. Na mão direita fica o isqueiro, que vai queimando a pedra lentamente por baixo da canoa, que precisa ser movimentada como se fosse uma gangorra para que a pedra entre no estado líquido ideal e se transforme na fumaça que será sugada pelo canudo preso à boca.

O gosto, indescritível. Uma tonelada de força direta. Três pedrinhas no balanço da canoa são suficientes para fazê-lo encarar até jaula de UFC. Todo o cansaço desaparece por horas, assim como a frustração pesada da fábrica.

Depois da Segunda Guerra Mundial, completamente arrasado, o Japão precisava de força extra para a reconstrução. Foi quando o cristal entrou em cena novamente. Os japoneses precisavam de máxima rapidez no trabalho, foi quando muitos operários da construção civil passaram a usar o cristal para suportar as horas massacrantes de trabalho nos canteiros de obra.

Passada essa fase, o Japão viveu um período glorioso em sua economia a partir dos anos 1970, que durou até a metade dos anos 1990. Mas, como eles estavam começando a ter problemas com o envelhecimento de sua mão de obra, tiveram que fazer um plano para trazer operários estrangeiros para assumir o trabalho sujo nas fábricas.

O governo deu prioridade para descendentes de japoneses até a terceira geração, o que chamou a atenção de *dekasseguis* do mundo inteiro, principalmente do Brasil, que já teve uma população de 350 mil pessoas no arquipélago entre 1989 e 2008.

E foi justamente com a chegada dessa mão de obra estrangeira que o cristal voltou a ser usado com força total, principalmente na comunidade brasileira, repleta de *junkies* até os dias de hoje. O cristal chega praticamente a todos os guetos onde vivem brasileiros no Japão. E nos pombais em volta de províncias dominadas por facções verde-amarelas, como Aichi, Shizuoka, Gifu, Mie, Saitama, Gunma, Ibaraki e Kanagawa, a coisa beira o absurdo.

11.

Domingo, 19 de janeiro. Noite de samba pesado no Bip Bip. Já acordo pensando nisso, mesmo de ressaca. Às cinco da tarde, abro o jornal e vejo a imagem mais representativa daquele começo de 2014: três cabeças decapitadas no presídio de Pedrinhas, interior do Maranhão. Em outra foto, aproximadamente uma dezena de cadáveres aparecia amontoada como sacos de batata numa cela mergulhada em sangue. Antes de morrer, os presos foram torturados por uma diversidade absurda de métodos sádicos. Pelas fotos é possível observar carne queimada, crânios amassados, perfurações, olhos fora de lugar, orelhas cortadas e narizes esmigalhados. Enquanto isso, a governadora Roseana Sarney, filha do honorável bandido golpista que comanda o Maranhão desde 1966, abria na mesma semana uma licitação para comprar 80 quilos de lagosta fresca, uma tonelada e meia de camarão, 750 quilos de patinha de caranguejo, duas toneladas de peixe e mais cinco de carne bovina e suína. Os cofres públicos chegavam a gastar cerca de um milhão por ano apenas para alimentar a família Sarney.

E o supermercado de luxo para os palácios de Roseana incluía ainda 108 mil reais em ração para peixes, 50 caixas de bombom, 30 pacotes de biscoito champanhe e 2.500 garrafas de um litro de guaraná Jesus, bebida mais tradicional do Maranhão.

Sobre os massacres de presos e a violência urbana que matou uma menina de seis anos queimada num ataque a ônibus no bairro José Sarney, a governadora afirmou que isso acontecia "porque o Maranhão estava mais rico" e que "as facções são muito violentas".

Deixei o jornal de lado e me lembrei do domingo. Domingo de verão, no Bip Bip, a coisa era quente. Corpos desejados e desejando por todo lado. Quem conhece, sabe. Estava no meio de uma tentativa de ataque soviético quando chegou Lara, a loira sinistra.

"Vem comigo", disse ela, desesperada. "O Thiago tá dizendo que eu tava te beijando."

"Puta merda, mina, que porra é essa?"

Meu desespero tinha motivo. Thiago era um casca-grossa dos piores, currículo invejável: ex-justiceiro, miliciano e soldado expulso da PM por homicídio e formação de quadrilha.

Cheguei atrás da banca de jornal na Almirante Gonçalves e, quase me cagando, improvisei a mentira que custou a porrada no olho esquerdo: "Porra, Thiago, jamais eu ia ficar com sua mina! Você acha que eu ia pegar a Lara e depois me queimar com sua irmã? Bicho, por favor, me escuta: eu gosto mesmo é da tua irmã, e não da tua mulher!".

Quando percebi, já estava no chão. Cego de um olho por quinze dias.

12.

Na República dos Compays todos tinham temperamentos e loucuras distintas. Mas em duas coisas eram todos parecidos: na hora da fome e na interminável dor de dente. Ninguém comia direito naquele tempo. A conta dos bares tomava tudo que a gente ganhava. Comia-se o que tinha. Quando a boca-livre aparecia era sempre bem recebida. Muita porcaria de boteco também era consumida. Gurjão de peixe, carne seca, pastel, queijos, salames e azeitonas eram parte de nosso cardápio diário. Comida, só depois do primeiro gole, lá pelas seis da tarde ou um pouco mais cedo. Não tem jeito. Se um chamasse, o outro ia.

A cada trinta dias nosso cinema exibia sempre o mesmo clássico: contas de banco sendo sugadas até o último real do nosso limite. Todo mundo muito mais que fodido. E não era pouca coisa.

Quando a água enchia até a boca, perto de afogar, chegava o socorro vindo de alguma fita. Não demorava muito e a gente se afogava de novo. Esse era o preço que pagávamos para morar no Rio de Janeiro.

Outro preço embutido nesse pacote era um pouco mais agudo. Não tinha um do nosso bando que não fosse parecido com aquele protagonista que o Rubem Fonseca e o José Henrique Fonseca, baseados no livro de Patrícia Melo, colocaram no filme *O homem do ano*, em que um assassino de primeira viagem convive com uma terrível dor de dente até se estabelecer como matador profissional. Na pele do ator Murilo Benício, o bandido fazia um lance com a boca que deixava a dor mais do que nítida. É um tipo de dor que transparece na cara e no comportamento. Ninguém consegue disfarçar a porra de uma dor de dente. E a única coisa que aliviava, claro, era o porre. Quando ele chegava, neguinho esquecia até que tinha dente.

Dois meses sem beber até que poderia pagar um tratamento meia boca. Isso se não fosse pelo fato de que dois meses é muito para quem não sabe quanto tempo ainda tem. Além do mais, éramos carentes ao extremo, profissionais dentro e fora do puteiro. Era irônico, mas sem tragédias. Não bastasse a seca que nos assolava, ainda tínhamos que lidar com aquela dor constante.

Mas nem por isso deixávamos de seguir o roteiro, tudo certo, linha por linha.

Uma das zonas mais famosas na história do Rio foi a saudosa boate Help, em Copacabana. Funcionou durante vinte e cinco anos num dos pontos mais assediados do mundo, que ficava entre as ruas Djalma Urich e Miguel Lemos, no céu da avenida Atlântica.

A boate foi inaugurada em 1984 pelo empresário Chico Recarey, conhecido na época como "o rei da noite carioca", por ter construído um domínio de boates, bares e restaurantes. Tim Maia dizia que o espanhol Recarey era "o maior 171 da história da humanidade".

Muita coisa rolava na Help. Era muito fácil, em qualquer que fosse a noite, contar pelo menos duzentas putas na pista de dança, sem falar nas que ficavam no restaurante Terraço Atlântico. Tinha todo tipo de gente: turistas endinheirados, proletários, *playboys* e até patricinhas. Mais um pouquinho e a Help teria virado *cult*. Não deu tempo. Em 6 de janeiro de 2010, a mando do governador Sérgio Cabral, mais conhecido como "O Esperto", uma canetada envolvendo milhões em acordos fechou a boate para dar lugar à nova sede do Museu da Imagem e do Som. A obra já dura seis anos.

Todos os órfãos da Help, putas e clientes, foram se esconder no Balcony, que democratizou o acesso à putaria no Rio de Janeiro. Estava decretado o fim dos 50 reais de entrada para quem fosse à procura de uma namorada de aluguel. De frente para o mar de Copacabana, o Balcony era colírio para os olhos de uma geração inteira de almas sem rumo. O quarteirão da praça do Lido se tornou o *playground* da putaria. Antes disso, na região em volta do Beco da Fome, existiam algumas casas remanescentes, como as lendárias Cicciolina e Barbarella, boate eternizada por Cazuza num dos versos de *Só as Mães são Felizes*.

Mas nenhum puteiro no mundo foi tão inovador quanto o Balcony. A cena era surreal: dentro do bar, na calçada, na praça, debaixo do toldo com as mesas viradas para o oceano, tudo era o Balcony. Sem entrada. Completamente livre para circulação. O mercado de carnes era direto. "Oi gatão, tudo bem? Fala aí, seu gostoso... Pode escolher: na minha boca, ou, se tu aguentar, pode encher meu cuzinho."

A rapaziada ia ao delírio. Gastava até o que não tinha.

Todas as noites, de bar em bar, o desfecho é sempre diferente. Mas os picos são os mesmos. Nossa área de sossego, guarita e suporte era Copacabana, disso ninguém tinha dúvida.

Tenho uma séria desconfiança de quem me diz que nunca sonhou, pelo menos uma vez na vida, em fugir pro Rio.

Depois que você toma o doce, ninguém mais tira.

13.

Deixei a subida do Morro, na ladeira Saint Roman, em maio de 2010. E não consegui mais parar em lugar nenhum. Lembro de ter mudado pelo menos umas sete vezes em menos de um ano. A única vantagem disso é que você acaba se tornando um especialista. E a cada nova moradia aprende também a acumular cada vez menos coisas.

Bodão daria aula em qualquer faculdade se a disciplina fosse Técnicas de Mudança. A primeira vez em que moramos juntos foi em 1999, num apartamento da cidade de Fukuyama, província de Hiroshima. Eu trabalhava como faz-tudo num negócio clandestino e completamente louco que um paulista de Votuporanga, chamado Onoda, tinha criado.

Após dez anos trabalhando em fábricas por diversas cidades do Japão, Onoda juntou uma quantidade de dinheiro suficiente para investir na compra de um caminhão. Instalou prateleiras na caçamba, como se fosse um supermercado itinerante, e encheu de produtos brasileiros, que passou a comprar inicialmente de pequenos importadores em Hiroshima. No caminhão-mercado era possível encontrar biscoitos, chocolates, guaraná, carne-seca, linguiça defumada, feijão preto, rapadura, CDs e muitas outras coisas *made in Brazil* que os operários brasileiros no Japão tinham dificuldade em encontrar.

O negócio de Onoda deu certo. Poucos anos depois esse tipo de comércio, com caminhões abarrotados de produtos tupiniquins, era visto cruzando o Japão à procura de brasileiros da costa leste à oeste. Onoda ficou tão rico, que hoje é dono de trinta caminhões e um depósito em Hiroshima, que recebe toda a mercadoria que vende aos brasileiros Japão afora. Ali, trabalhei entre 1998 e 1999.

Toda vez que era despejado de algum apartamento em Copacabana, eu sempre voltava às técnicas do Bodão. O lance que ele desenvolveu virou referência para vários surfistas, operários, viajantes e todo tipo de vagabundo com quem topamos em algum buraco da Ásia entre 1998 e 2001. Quando cheguei pela primeira vez a Hiroshima, ele já estava lá havia quatro anos. Bodão foi embora do Brasil assim que FHC venceu Lula nas eleições pela primeira vez. Aos dezoito anos, também nascido em Campo Grande, as únicas coisas de que ele gostava eram: comer as meninas da vila Sargento Amaral, fumar maconha na pista de *skate* do Horto e jogar futebol de salão na quadra do ex-estádio Belmar Fidalgo. Ao mesmo tempo, sempre teve uma simpatia estranha por Lula desde a infância. Ele costumava dizer que tudo começou em 1989 (naquela campanha clássica manipulada pela Rede Globo) quando Lula foi derrotado por Collor. E a maior contradição nessa história toda é que Bodão não dava a mínima para política. O negócio dele mesmo era só com Lula.

Um dia, durante o horário de almoço na fábrica em que trabalhamos juntos no município de Homihachiman, província de Shiga — mais conhecida como "inferno branco", por causa do isolamento das fábricas e dos operários, que são obrigados a morar dentro delas —, perguntei a ele como realmente começou essa coisa com Lula. Ele respondeu que a imagem do ex-metalúrgico derrotado, no Jornal

Nacional, marcou profundamente seus treze anos de idade. "O Collor tinha a cara do moleque mais folgado da escola na época, filhinho de papai, sacana... Depois daquela derrota, eu vi o Lula, barbudo, largado, falando tudo errado na TV; e isso passou a ser, para mim, uma espécie de alento diante de tanta escrotice. Lula era um cara bruto, autêntico, sem aquela imagem de almofadinha hipócrita e babaca que ainda impera hoje em dia na figura nojenta do William Bonner e aqueles filhos da puta do Jornal Nacional. Mas agora eu já não ligo mais pra essa merda de política. Cara, tá tudo uma bosta. Quer dizer, há muito tempo que eu não ligo pra mais nada, mesmo. Porra bicho, olha a gente aqui, todo fodido, com graxa até na orelha."

Bodão era um vagabundo iluminado. Não existiam limites para nenhuma de suas vontades. Era costume deixar a mala pronta para qualquer tipo de fuga. Assim que chegava a um novo apartamento, já colocava a mala aberta com as roupas de seu cotidiano em algum lugar estratégico. Depois que fugiu de casa em 94, nunca mais teve armário. Não tinha apego por nada que não fosse uma onda quebrando no fim de tarde numa praia de Bali ou da costa dourada australiana. Tudo era solto, desapegado até na morte. Bodão nunca carregava mais que uma mala, uma mochila e duas pranchas de *surf* — a casa eterna de um viajante sem passagem. Quando cisma de meter o pé pra outro lugar, a saída é fácil: a bagagem está sempre pronta, basta fechar a mala.

Pode parecer absurdo, mas a vida de um operário no Japão parece, em vários sentidos, com a experiência de um vira-latas tentando a vida em Copacabana. O sufoco era o mesmo. A patifaria na hora de arrumar um lugar para morar também era idêntica. Vale tudo. No caso de Copacabana, quarto de empregada custa mais caro que apartamento na Tijuca. Mas, e aí? O importante era descer do prédio numa tarde de vagabundagem plena, mergulhar no ponto mais próximo da praia, fumar um na areia e voltar para o boteco mais

Danilo "Japa" Nuha

próximo de casa. Foda-se a volta, bebaço, cheio de areia e queimado para um quartinho de empregada ou para um barraco no Pavão.

Em nosso caso, nada disso importava desde que estivéssemos em Copacabana. Os prédios, muitos com quase setenta anos, comportam de tudo. O edifício na esquina da Nossa Senhora com a Miguel Lemos — quase na cabeça do botequim Caga-Sangue —, por exemplo, tinha puta, camelô, travesti, traficante, família, estudante e trabalhador. Num ambiente desses, é claro, sempre rola barraco. Homem batendo em mulher, mulher batendo em homem, traficante dando porrada em viciado, prostituta fingindo orgasmo pra otário e *lover boy* chupando coroa aposentada.

Agora, o ponto mais famoso onde esse tipo de cena anda solto é a Galeria Alaska. Almir, o Pernambuquinho, jogador de futebol e um dos craques mais intensos que o mundo já viu, morreu assassinado ali. Apesar das muitas polêmicas em campo, principalmente quando vestiu a camisa do Santos (jogou muito ao lado de Pelé), Flamengo e Boca Juniors, Almir era conhecido por ser um cara extremamente papo reto, seja na bola ou na rua. No dia de seu assassinato, por exemplo, ele tentava defender alguns integrantes do grupo Dzi Croquettes que estavam sendo ridicularizados por outros clientes em um dos bares da galeria. Um dos caras sacou um revólver e deu dois tiros à queima-roupa em Almir ali mesmo, sob os pés do Alaska.

Aliás, o pico é cercado por histórias tão inacreditáveis, que caberiam em qualquer livro de literatura fantástica. Até Tim Maia já foi preso ali por perturbação da ordem e desacato à autoridade. Mas acabou sendo liberado porque todos os que bebiam nos três bares do Alaska foram até a frente da delegacia e exigiram a libertação do síndico. O auge do protesto foi quando o pessoal decidiu cantar uma de suas músicas. O delegado, já puto com a farra improvisada, também não suportou a cantoria e soltou Tim Maia, que, ovacionado por uma eufórica plateia, voltou triunfante à sua mesa na galeria.

Na parte dos moradores, o Alaska também é um espetáculo — dizem que até facção da máfia italiana tem braço montado no prédio. A maioria deles é formada por aliciadores de garotas e garotos de programa para o mercado estrangeiro. A cocaína também rola solta. Pelo menos uns três apartamentos são bocas especializadas. Tem até traficante que manda 71 de pintor. Roberto Paranoia, por exemplo, ator frustrado, traficante por vocação e pintor por aparência, vive circulando por Copacabana com seus quadros. Todos com o mesmo tema: rosas, girassóis e fruteiras. Consegue levantar uma grana ferrada com o pó que vende na zona sul.

Cana-mar, um garçom que bebia e trabalhava pra gente nas madrugadas de porre na Sá Ferreira, me contou que Paranoia gastava tudo que levantava do corre com "seus meninos" na Le Boy. "Rapaz, nunca vi tarado igual. Esse cara é pior que aquele ator americano viciado em sexo. Como é mesmo o nome dele?" "Michael Douglas", respondi. "Isso mesmo!", completou Cana-mar, deixando ainda mais arrastado seu orgulhoso sotaque de Olinda.

Depois, prosseguiu com a resenha: "Se liga nessa, Japa: já vi o Paranoia sair daqui com três meninos, tudo novinho, com cara de modelo mesmo. E todo mundo doido de ácido. Na noite seguinte, lá no Le Boy, um dos moleques me disse que essa foi a putaria mais surreal de que ele já participou na vida. Chegando lá, o Paranoia tinha separado uma fantasia de chapeuzinho vermelho, que tratou logo de vestir assim que entrou no apartamento. Ainda tinha outras três fantasias à espera dos moleques: a da vovozinha, a do caçador e a do lobo mau. Mas, nessa versão do Paranoia, todos tiveram que comer a chapeuzinho vermelho no final".

14.

E agora a via na imaginação, subindo a rua, entrando no
automóvel; (...) naturalmente, não tardei a sentir-me de novo
como se estivesse no inferno. Durante o dia, nada mais fácil do que
mostrar que não se dá importância, mas, à noite, é diferente.

(Ernest Hemingway, *O sol também se levanta*)

Uma das vantagens de viver à custa da própria sorte é a capacidade de dar a volta por cima, mesmo com os nocautes mais devastadores. Dentro do ringue, tínhamos plena consciência de que nunca chegaríamos a Muhammad Ali, mas, por outro lado, era grande o nosso orgulho em ser Maguila.

Hugo Sosa tinha acabado de passar por um processo tenso ao se separar da garota que veio com ele de Córdoba, na Argentina. Julieta mandou Hugo vazar de casa logo depois que conheceu um negão *black power* de quase dois metros de altura que dominava o bloco feminino nos bailes do viaduto de Madureira. Enquanto isso, eu tinha sofrido aquela que até hoje considero uma das minhas maiores derrotas. Pior que 7 x 1 em casa.

Camila é o nome dela. Filha de magnatas da madeira e formada em turismo, Camila, quando me conheceu no Bip, todo descolado

com a malandragem, achava que eu era a maior promessa do jornalismo. Dois anos depois, decidiu sair fora ao perceber que a promessa era furada.

Assim que ela começou a reclamar que estava com dor de cabeça toda vez que a gente ia transar no quartinho de empregada onde eu estava morando na rua Paula Freitas, em Copa, percebi que meu *status* de vendedor de livros passou a irritá-la profundamente. O desejo de mandar o pé na minha bunda também se manifestou quando ela fazia comparações frequentes com a vida badalada dos empresários bem-sucedidos que ela namorou antes de mim.

Entre uma lista variada de eventos sociais, Camila também tinha como esporte preferido férias fora de época em Bonito, compras com a mamãe em Nova York e degustação de vinhos italianos com o papai. Enquanto isso, eu não tinha nem pra Bangu. Guinga e Aldir Blanc já tinham a crônica toda na cabeça quando escreveram *O catavento e o girassol*.

Três anos depois, ainda vivia cheio de esperanças de que voltaria à cena quando vi Camila pela última vez numa foto compartilhada por vários amigos em comum: loiríssima, radiante, sorrindo com os dentes mais brancos numa foto sacada na piscina de um hotel em Cartagena de las Índias, na Colômbia, colada no marido rico, ostentando uma garrafa de Veuve Clicquot na lua de mel. Juliano Coelho Neto é primogênito de fazendeiros, herdeiro profissional, atleta de *stand up padle*, corredor de *motocross* aos domingos, rei do camarote e dono de uma fábrica de cervejas artesanais para consumo próprio. Na frente dos amigos, se orgulha de não ter lido nenhum livro na vida: "Eu quero saber é do preço da arroba. Literatura é o meu pau! Cinema, mpb e a bicha do Chico Buarque nunca me fizeram falta. É tudo coisa de *hippie* vagabundo, muié feia, gorda, petralha, comunistinha e veado".

Diante de um pretendente assim, tão querido pela sociedade, e levando em conta uma geração de sogras infelizes e malcomidas que veneram Bolsonaros, a batalha estava perdida.

"Mas nada de desistir na primeira mina de relógio que aparece, meu jovem. E eu nem preciso te dizer que vagabunda loira e interesseira com disfarce de boneca tem de monte. A sorte é tua, meu parceiro, que soltou esse rojão na mão de outro otário", cantou o Preto Velho de Piabetá, Vô Benedito, direto da encruzilhada.

"Ô Copacabana, ai de ti ficar parado. Ainda tem muita morena pra você bater de frente."

15.

A loucura estava em qualquer lugar, a qualquer hora. Se não estava do outro lado da Baía, estava Golden Gate acima ou descendo a 101 para Los Altos ou La Honda. Lutar não fazia sentido – fosse do nosso lado ou do deles. Nossa energia simplesmente iria vencer. Era nossa hora. Estávamos na crista de uma onda enorme e linda. Em uma nação comandada por suínos, todos os porcos sobem na vida – e o resto de nós está fodido até que possamos nos organizar. Não é necessário Ganhar – mas é importante não Perder Completamente. Devemos isso a nós mesmos e à nossa devastada autoimagem.

(George Duke)

N a eterna falta de opções, tínhamos que tomar atitudes extremas. Às vezes, cansado da guerra, o Balcony era a única droga capaz de amortecer quando as coisas batiam errado. Geralmente, nesse tipo de ataque íamos somente Hugo Sosa e eu, mas a gente só chegava àquela esquina do Lido depois das cinco, quando a manhã, cheia de si, mandava sem dó o clarão vermelho-alaranjado que só existe no céu de Copacabana.

Durante o verão, de tão grande a concorrência, muitas meninas — principalmente as recém-chegadas do interior — ficavam das onze da noite até cinco da manhã sem levantar absolutamente nada na viração. Aí a batalha ficava feia, não sobrava nem pra um lanche no pé-sujo 24 horas do Beco da Fome, na Prado Júnior.

Muitas delas não tinham sequer onde ficar na primeira noite. E antes de se arriscarem numa viagem mergulhada em dor e dúvidas, fugiam de casa com apenas uma certeza: o Rio de Janeiro é a Terra do Nunca.

Hugo e eu dificilmente errávamos a mira quando sobrava somente uma opção. Ainda mais com a luz do dia já batendo na cara. E, apesar de completamente bêbados da noite no Bip, da madrugada na Galeria Alaska e da manhã mal resolvida no Balcony, ainda sustentávamos uma cerveja quente na mão e um cigarro aceso na outra. A situação beirava o desespero, mas nosso procedimento era suave, fechado na calma.

Desse jeito, chegávamos às que tinham o mesmo semblante, não de álcool, nem de pó, mas aquele tipo de olhar que só quem não tem e nunca teve um rumo certo na vida consegue sustentar.

Na maioria das vezes, ficávamos amigos, rolava uma solidariedade típica de quem vive na rua. A primeira coisa era convidá-las para a última cerveja no Beco da Fome, já com o sol alto. Isso era o que restava a elas, mas, principalmente, a nós.

Com o lanche, o bate-papo e as primeiras duas cervejas, o mundo se esquece de como tudo começou. Mas isso só depois que elas perguntam sobre profissão, estado civil, filhos e endereço. Concluído esse ritual, dificilmente negam o convite pra cair numa goma em Copacabana que, mesmo sem ganhar nada, pode ser muito mais confortável do que qualquer buraco em volta da Central.

16.

Independentemente da derrota, ainda nos considerávamos sujeitos de sorte. E a maior delas era ter sempre alguma música do nosso lado.

Ainda no bar Boa Sorte, em Campo Grande, na década de 1980, aprendi a ouvir viola caipira, chamamé, polca e guarânia. Já nesse tempo percebi que a música me fazia refletir de maneira positiva diante de um certo tipo de angústia, mesmo naquela fase mais infantil da vida. Sempre tive uma espécie de consolo ao som de uma harpa paraguaia tocada no salão de sinuca do Boa Sorte. Desde pequeno, tive na música uma companheira fiel, mas o impulso definitivo que deu norte para o estilo de vida que eu levo hoje — surfista de turbulências — aconteceu do outro lado do mundo.

Em 1999, quando eu já tinha dezessete anos e havia passado a fase das descobertas juvenis, um caminhão descarregava carne e outros produtos no depósito do Onoda, em Hiroshima. Acabei encontrando uma caixa de papelão com vários CDs lacrados. Perguntei ao Cláudio Barba onde estava a nota de conferência das mercadorias que tinham acabado de chegar. Conferi duas vezes e não achei nada.

Tirei os discos de dentro da caixa original e coloquei em outra, de carne, que tinha estourado. Depois, voltei para dentro do depósito, com mais um carrinho cheio de caixas vazias que iam para o lixo.

Cheguei ao alojamento do depósito ansioso para ver o que tinha dentro.

Entrei correndo no meu quarto, peguei um pano para limpar o sangue que havia ficado nos discos e comecei o garimpo. Eram dez, no total, divididos em três partes. Abri o primeiro pacote e logo de cara tive uma decepção: só da Xuxa vi logo que eram seis. Minha animação inicial começou a diminuir. Segui em frente e abri outro pacote, mais decepcionante ainda: dois discos bíblicos narrados por Cid Moreira. Mesmo desanimado, parti para a terceira. Sem esperanças, vi que o primeiro disco tinha a foto de um negão dentro de uma moldura amarela. A capa branca trazia escrito: *Milton Nascimento — ao vivo*. De repente, ao ler o nome, senti uma onda, *big jato*, das grandes.

O outro disco também veio quente. Aquele monte de figuras, com Tom Zé segurando uma mala de couro; Rogério Duprat, um penico no colo; Caetano com uma foto de Nara e Gil e outra de Torquato, me deu logo a sensação de que todos ali também estivessem em naus fora de rumo. Somente anos depois, quando voltei ao Brasil e soube da história por trás do *Panis*, vi que não estava longe de tal sentimento.

A descoberta desses discos me levou para dentro de um mundo novo e, o mais importante, imensamente acolhedor em meio ao caos que vivia no depósito do Onoda, limpando fossa, cheirando cristal e circulando entre carne apodrecida. Aquelas músicas me fizeram ter esperança na vivência presente e muitos sonhos com o futuro. Passei a suportar melhor a distância. As canções de Caetano, Gil, Duprat e Tom Zé me mostraram situações semelhantes às que eu estava vivendo como *dekassegui*. As sirenes que ponteiam todo o disco

eram as mesmas das fábricas que eu tinha de encarar ano após ano no Japão, assim como a mãe lavando panos para aliviar a saudade do filho que se foi e não voltará. *Parque industrial*, de Tom Zé, e *Enquanto seu lobo não vem*, de Caetano, vão direto ao encontro do operário em território estranho, sem época definida.

Assim como *Panis* era a permanência, Milton significava o sonho. Era o impulso que faltava para continuar e perseguir os objetivos perdidos ao longo da viagem ainda sem volta. O disco ao vivo, da primeira até a última faixa, é um tratado sobre todos os sentimentos que existem no mundo. Estão ali os ensinamentos básicos da vida: força, amizade, fé, humildade, esperança, amor. Milton dá a receita de como se tornar uma pessoa melhor, sempre. Poucos conseguiram escrever canções a partir da mais pura simplicidade, atingindo, sem escalas, mentes e corações.

Naquele momento, cheguei à conclusão de que a música seria o único refúgio possível, para onde sempre se pode voltar, por maior que seja a derrota, em qualquer que fosse a guerra.

Nunca mais andei sozinho.

Milton e a Tropicália foram o começo de tudo: do *jazz* ao choro e ao *rock*, passando por Tom Jobim, João Donato, João Gilberto, Ney, Belchior, Elis Regina, Tim Maia, Jorge Ben, Alceu Valença e muitos outros que até hoje guiam meus caminhos. Eu não sabia direito no que ia dar essa obsessão pela história das músicas, dos músicos e de tudo que cercava esse ambiente, mas comecei a ir atrás de tudo. E, nenhum lugar do mundo é melhor para comprar e estudar música brasileira como o Japão. Discos que jamais seriam vendidos no Brasil eram encontrados a preços acessíveis para o bolso de qualquer operário.

Todos os meses, ao receber o salário de fábrica, minha principal diversão era passar horas garimpando naquelas lojas enormes como a Tower Records, de Tokyo, Nagoya e Shiga.

Se não fosse por essa paixão, dificilmente teria conseguido me segurar na Bossa Nova e Cia., o maior acervo de discos e livros sobre música brasileira do país, e que recebe pessoas do mundo inteiro que vêm ao Rio interessadas em cultura. Sem falar nos músicos locais e nos artistas que frequentam a loja. Meus heróis, agora apareciam ao vivo no Beco das Garrafas, perguntando sobre o último CD do Hamilton de Holanda.

Depois de alguns anos no ofício, percebi que um vendedor de livros e discos que seja capaz de falar honestamente sobre música pode rapidamente se tornar confidente de qualquer comprador mais assíduo. E, pra minha sorte, passei a ser o padre de um confessionário que só poderia acontecer na Copacabana que vivi: a dos anos 2009 pra cá. Quando me dei conta, tinha entre meus clientes João Donato e o guia dos tempos mais duros vividos no Japão: Milton Nascimento.

Ex-operário, jornaleiro, contrabandista e traficante. Um nômade de profissão, residindo em Copacabana, escondido no seio da Guanabara em plena histeria de 2014, ganhando a vida como livreiro na Bossa Nova.

O *set* que eu insistia em repetir dia após dia no Beco finalmente tinha agradado.

Mesmo limpando livros, me sentia mais músico do que nunca.

17.

A primeira vez que cruzei com João Donato foi em 2006, em Nagoya, quando eu era correspondente do jornal *Brasil Shimbun*. Donato estava lá para fazer seu *show* com uma banda formada somente por músicos japoneses no Blue Note. Eu era um rato da casa e, pouco depois da apresentação, já tinha conseguido entrar no camarim e bater um papo com João e sua mulher, Ivone. Eles me pediram que indicasse um restaurante ou um bar na cidade. Eram pouco mais de onze da noite. Paramos num banco de praça no bairro de Sakae, embaixo dos arcos de metal, e liguei para vários amigos brasileiros na cidade. Em menos de dez minutos, nosso grupo já tinha uns quinze de bicicleta. Imediatamente, Donato e Ivone pediram duas emprestadas. Kimura, brasileiro de Tatuí, dono de uma casa de música ao vivo chamada Marcelo's, cedeu sua *bike* para João. Ronaldo, líder da banda Via Brasil, grupo cativo do Urbana, emprestou a sua para Ivone.

Ficamos dando voltas por toda cidade até quase cinco da manhã. Donato era o que mais parecia ter gostado da ronda por Nagoya.

Ele nos contou que fazia pelo menos uns trinta anos que não andava de bicicleta. No dia seguinte, João faria outro *show* em Tokyo como parte de um projeto chamado Fujitsu 100 Goldfingers, que seleciona todos os anos dez grandes pianistas para excursionar pelo Japão durante trinta dias, entre maio e junho. Naquela décima edição, ele foi o único da América Latina a ser convidado. Os outros pianistas com "dedos de ouro" eram notáveis como Kenny Barron, Hod O'Brien, Cedar Walton, Junior Mance, Toshiko Akiyoshi, Cyrus Chestnut, Benny Green, Don Friedman e Gerald Clayton.

Donato e Ivone me convidaram para acompanhá-los durante a semana que passariam em Tokyo. Mandei um *e-mail* ao chefe de redação do *Brasil Shimbun*, liguei para meu traficante iraniano em Nagoya e parti rumo a Tokyo com vinte gramas de *skunk*, um cachimbo de metal e três pedras de haxixe marroquino. Desci do trem-bala na estação central e fui direto para o hotel onde eles estavam hospedados, próximo do polêmico templo Yasukuni, onde estão os restos mortais de catorze criminosos de guerra japoneses.

Nessa época, Donato tinha acabado de lançar dois álbuns no Brasil: *Uma tarde com Bud Shank e João Donato* e *O piano de João Donato*. Generoso, a partir do segundo dia, João permitiu que eu usasse o cachimbo em seu quarto de hotel com vista aberta para os arranha-céus de Tokyo. Ao presenciar o ritual de preparo, perguntou quantas bolinhas de haxixe eu colocava no cachimbo. "Este aqui é feito para apenas uma pedrinha por vez. É que nem espingarda da Guerra do Paraguai, um tiro e só", respondi. Ele então me pediu para ver: "Nossa rapaz, gostei disso!".

No último dia em que estivemos juntos, encontramos um amigo japonês de Donato chamado Ogawa. Ele tinha morado durante muitos anos no Brasil, entre o fim dos anos 1970 e metade dos 1980, e conheceu todos os músicos que andavam pelo Rio nessa época, incluindo um de seus melhores amigos até hoje: João Gilberto. Corre

uma lenda no Japão de que quando alguém de qualquer lugar do mundo quer falar com João Gilberto, tem que ligar primeiro para Ogawa, que depois repassa o recado a João.

Antes de partir, Donato quis que eu o levasse num bar de *jazz* chamado J, onde Chet Baker, que tocou com ele no começo dos anos 1960 na boate Trident, em Sausalito, na Califórnia, costumava se apresentar quando estava em Tokyo.

Foi nossa última noite no Japão. Na despedida, deixei meu cachimbo como lembrança a Donato e peguei o trem de volta para Nagoya.

18.

Corvos. Estão por toda parte. Cortando os céus com seu voo barulhento. Reviram e devoram todo o lixo jogado pelas cidades. Nenhuma escapa. Nem mesmo as mais acinzentadas: Tokyo, Kyoto, Osaka, Hamamatsu. Em qualquer buraco do Japão. Corvos, pássaros negros de penas brilhantes.

Manhã nublada no centro de Nagoya: corvos espreitam o Central Park. Mendigos acampados. Iranianos vendem haxixe num banheiro público. Merda jogada nas paredes. Brasileiros, completamente esgotados, esperam o metrô após mais uma noite em Sakae, o bairro dos bares, puteiros, cassinos e boates. Japão, 2006. Lá estava eu de novo.

Ser repórter numa região de grande concentração de brasileiros no Japão é, ao mesmo tempo, exercer a função de policial, ouvidor público e até psicólogo. Às vezes, antes mesmo de levar os problemas para a polícia, eles preferem contar ao jornalista, por sentirem mais confiança em outro brasileiro. Além disso, existe também a esperança de ver o problema resolvido ou, no mínimo, divulgado na imprensa.

"Alô, é o jornalista do *Brasil Shimbun* na região de Tokai?"

"Sim, sou eu mesmo, Danilo Nuha. Quem está falando?"

"Não posso dizer meu nome. Tenho uma denúncia pra fazer", disse a mulher. "Eu trabalho numa fábrica perto de Nagoya. Tenho um vizinho que é completamente louco."

"É brasileiro?"

"É sim."

"E qual o problema dele?"

"O cara é um louco total. Não trabalha, fica o dia inteiro trancado em casa e pelo que sei é viciado em internet, cassinos e jogos eletrônicos. Mas o problema mesmo não é esse."

"Pode falar, minha senhora."

"O problema é o seguinte: como o cara não trabalha, ele fica em casa cuidando dos dois filhos enquanto a mulher dele está na fábrica. E, nesse tempo, a diversão dele é torturar as crianças, que estão com hematomas de arrepiar até médico legista."

Nesse momento, pude perceber que a coisa era séria.

"O que ele faz?"

"Faz de tudo, coisas que você nem imagina. Quando estou em casa durante o dia, passo o tempo todo ouvindo gritos. O filho mais velho, que deve ter uns sete anos, quase nem tem mais cabelo, já está no couro, de tanto que ele puxa. Mas você tem que ver quando ele vai buscar as crianças na escola. Ele vai de bicicleta e o garoto, junto com a irmã de uns cinco anos, tem que ir correndo de mochila ao lado dele. Durante o caminho, ele vai gritando e batendo nas crianças para elas andarem mais rápido."

"A senhora já foi à polícia?"

"Que polícia, que nada! Eu é que te pergunto: o que VOCÊ vai fazer? Não empurra, Danilo Nuha! Você é o jornalista, tem que colocar isso no jornal!"

19.

Abaforada do capeta parecia a mesma. Giro pela teia. Tokyo. Linha azul Keihin Tohoku. Linha verde Yamanote. Cinza definitivo. Achei o lugar. Na praça principal de Shibuya, à luz das três da tarde, o retrato de um Japão moderno: sem-tetos, catadores de latinha, bêbados e esfarrapados. E em volta da badalada estação, telões anunciavam *pachinkos*, os caça-níqueis japoneses. Para a maioria dos japoneses, a vida de jogador é uma profissão normal. Os cassinos abrem às dez da manhã e, como numa loja em liquidação, centenas de pessoas, na sequidão do olhar, organizam uma fila bem antes da abertura.

Outra modalidade de entretenimento bastante conhecida no Japão, e para alguns a estrela principal, são os *sunakos* (do inglês, *snack*), onde o cliente chega a pagar até 50 dólares por hora apenas para conversar com uma garota. Nas partes mais escondidas de qualquer cidade japonesa estão os *pink-saloons*, apenas para sexo oral. Cada rodada de boquete custa 70 dólares, com duração de 40 minutos — sem limite de orgasmos — e com revezamento de mulheres a cada gozada. O tíquete dá direito ao *self-service* de cerveja.

Cerca de vinte clientes entram juntos, mas em cabines separadas. O gerente dá a largada e controla as gozadas pelo computador central. As mulheres entram nas cabines, limpam o cliente com uma toalha quente, uns beijinhos, umas carícias e começam o trabalho. Quem faz o cliente gozar, aperta um botão e troca com outra colega que acabou de fazer o mesmo. E assim vai, por 40 minutos seguidos, com direito a público assistindo. Quem não quiser participar, pode ver o *show* bebericando um drinque no balcão.

Existe também uma subdivisão dos *pink-saloons*, muito mais rápida e prática. O cliente coloca o dinheiro num negócio parecido com uma máquina de refrigerantes, depois encaixa o pau num orifício logo abaixo. Do outro lado, uma boca faz o serviço, realizado na maioria das vezes por velhas, homossexuais e *junkies* estrangeiros sem visto.

Por último, para quem quiser negociar um programa completo, existem as casas privê de alta casta da Yakuza, onde quase todas as mulheres são imigrantes: tailandesas, chinesas, filipinas, russas maravilhosas e romenas. Os laçadores da máfia sempre oferecem os serviços numa esquina de *pachinko*. E preferem turistas, apostadores com sorte e executivos japoneses. Nesse segmento noturno, as brasileiras e colombianas preferem os *sunakos*. O motivo disso é a chance que elas têm de fazer um expediente duplo sem ter o passe preso pela Yakuza. E já que nos *sunakos* não rola sexo com os clientes, elas podem escolher um (ou mais) para realizar programas por fora. Esse tipo de cliente é conhecido como "fixo". Nas revistas japonesas, sempre existe um anúncio recrutando brasileiras para trabalharem em *sunakos* ou em bares de *strip-tease*.

O La Barca, em Toyohashi, é o paraíso das filipinas. Um cenário muito bem montado onde se misturam *salary-men*, executivos, mafiosos e operários. Território livre na exploração derradeira de alguns otários, onde as únicas que sobravam para o resto da matilha esfarrapada de cães sarnentos — como eu — eram as muito feias ou muito velhas.

Naquela noite, depois de cobrir mais uma pauta na cidade, desci de bonde rumo ao La Barca e, como sempre, a concorrência estava agressiva: um baralho de putas marcadas. Eram dez clientes para cada filipina. A solução foi encarar uma do banco de reservas — gorda, oxigenada — que dançava *La gasolina* como se o mundo fosse acabar antes da música. Além da feiura, quase indecente, da pele oleosa e do cabelo desgrenhado, o que mais me chamou atenção foi o vestido, um azul prussiano bem colado que dava a mesma sensação de quando a gente vê uma peça de coxão mole embrulhada num jornal velho.

Arrastei a gorda para um canto, perto do banheiro. E, sob a escuridão da maloca, começamos a nos lamber. Saímos da Barca num estágio acima do deplorável. A última coisa de que ainda me lembro é de um táxi que nos levou até o apartamento dela, na parada do bonde, em Undokoen-mae. No dia seguinte, olhei a cara da gorda com a luz do sol refletindo pela janela. Arrumei minhas coisas, bebi um resto de iougurte azedo na geladeira e fugi no bonde enquanto a filipina dormia, entregue.

20.

Dois meses depois da aventura com João Donato, e acomodado com o posto de correspondente, fui denunciado à polícia de Tokyo pelo chefe do setor de informática do jornal por causa de uma série de fotos de um pé de maconha no apartamento em Hamamatsu. Hiroshin Muranaga, o chefe, tinha entrado em meu computador via rede com a desculpa de verificar um antivírus, deu de cara com as fotos e as entregou imediatamente à polícia. Mesmo já tendo fumado a planta toda, tive que me apresentar à delegacia metropolitana de Tokyo.

Hiroshin era casado com uma jornalista brasileira da sucursal de Nagoya, chamada Denise. O *Brasil Shimbun* tinha sucursais com jornalistas espalhados por todo o Japão. E, como uma das principais rendas do jornal vinha da venda de matérias, a concorrência entre os correspondentes era selvagem.

Desde o começo, na redação em Tokyo, sofri preconceito e desconfiança por parte dos outros correspondentes por falar "japonês de fábrica" e por ter sido operário antes de estudar jornalismo.

E tudo o que meus colegas pudessem fazer para me prejudicar era feito. A tática deles, incluindo alguns editores, era me colocar no máximo de roubadas possíveis, em que era necessário um japonês científico, como cobrir matérias no Palácio Imperial ou entrevistar pessoas com quem eu precisasse de uma linguagem mais técnica, como peritos, juristas e médicos. Também passei quase o tempo todo fazendo trabalho braçal. Organizei arquivos, prateleiras e armários. Até o cafezinho ficava sob minha jurisdição.

Eles só não contavam que um verdadeiro maloqueiro de raça reconhece de longe seu semelhante.

O editor-chefe, Osny "El Viejo Safado" Arashiro, foi o responsável pela minha saída daquele pântano infestado de crocodilos que era a redação em Tokyo. Osny era corintiano, bom de copo, grande conhecedor da noite japonesa, jornalista brasileiro que mais cobriu jogos da Copa Toyota e da JLeague, amigo de Raul Seixas em São Paulo no começo dos anos 1980, parceiro de Maradona, Edmundo e Marcelinho Carioca nas noites mais insanas de Tokyo e — a coisa de que ele mais se orgulhava — discípulo do dr. Sócrates Brasileiro.

Certo dia, puto com a dificuldade de outros jornalistas para entrarem nas áreas mais problemáticas, Osny percebeu que meu perfil de ex-operário caberia como uma luva nesse tipo de região onde todo dia tinha uma treta.

Ao fim de um expediente maçante colhendo informações durante horas na embaixada brasileira de Tokyo, mal entrei na redação e fui convocado por Osny, que disse em alto e bom tom a frase que calou brevemente meus colegas "mais chegados" do *Brasil Shimbun:* "Toma aí malandro, segura que é tua!".

Tratava-se da chave de um apartamento e uma passagem de trem-bala para Hamamatsu, cidade com a facção brasileira mais truculenta do Japão, em que um dos chefes era ninguém menos que um velho conhecido meu: Bodão.

Depois de superar o *bullying* na redação em Tokyo, passei um ano de glória com a chefia sensacionalista do jornal, feliz da vida com as pautas em que Bodão me passava a fita com todos os detalhes. "Traficante brasileiro mata rival com espada dentro do banheiro de boate", ou, "Operário paulista mata mulher peruana e deixa corpo na geladeira", estes — entre muitos outros que fiz — são apenas dois exemplos de matérias que o *Brasil Shimbun* mais gostava de vender. Freguesia nunca faltava.

Como regalia por conseguir matérias tão quentes, a chefia me liberava da pauta obrigatória quando algum músico brasileiro estava em turnê pelo Japão. Depois desse acordo — e de quase uma centena de matérias policiais apuradas — consegui carta-branca para cobrir *shows* de João Donato, João Gilberto, Marisa Monte, Sérgio Mendes, Jorge Benjor, Gilberto Gil, Roberto Menescal e Milton Nascimento, um dos artistas de quem fiquei mais próximo e um dos primeiros a frequentar o Beco das Garrafas na minha fase de vendedor em Copacabana.

Além do sucesso com as páginas vermelhas do *Brasil Shimbun*, passei a ter certo destaque com as matérias que conseguia fazer não só com músicos famosos, mas também com jogadores e técnicos brasileiros da JLeague, surfistas de elite do circuito mundial — e até com campeões de MMA que eu cruzava nos bares de Tokyo e Nagoya. As regalias da chefia e o relativo sucesso na minha "nova área" começaram a levantar a ira da rapaziada de outras sucursais.

Hiroshin passou a monitorar todos os meus passos no computador que eu usava na empresa. Foi assim que achou as fotos do pé de maconha na minha casa.

Fiquei em cana durante quase trinta horas com outro estrangeiro com cara de iraniano na delegacia metropolitana de Tokyo. Fomos proibidos de conversar durante todo o tempo em que

Danilo "Japa" Nuha

passamos na cela, mas quando olhávamos na cara um do outro, o pensamento era o mesmo: "Fudeu".

Depois desse tempo preso, sem saber se era dia ou noite, fui julgado ainda dentro do distrito, pelo delegado e mais seis policiais para aumentar a pressão. Ele contou com a ajuda de uma intérprete do próprio jornal, que foi lá apenas para acabar de me fuder. O delegado, especialista em maconha, chegou logo me esculachando num japonês bruto:

"Nunca vi um cara tão idiota na minha frente. Você, por acaso, sabe quantos jornalistas estrangeiros no Japão têm o mesmo privilégio que você?"

"Não tenho ideia", respondi, já esperando a primeira porrada.

"Menos de cinquenta em todo o país", disse ele, de forma ainda mais truculenta. "Agora, no seu caso, você é um idiota duas vezes! Pois além de ter sido preso, ainda fumou uma planta que era macho! Qualquer imbecil que não sabe nada de maconha vê aquelas fotos e já consegue perceber isso!"

Depois da aula, o golpe final:

"Mas como você, além de burro, é manso, não vai ficar preso. Vamos cancelar seu visto de jornalista. E quem sabe você aprende a fazer as coisas com mais consciência quando estiver fora do seu país."

Deixei a delegacia e entrei no trem sentindo o maior alívio da minha vida. Durante as trinta horas em que passei preso, pensava que não olharia a cara da rua por pelo menos uns dois anos em que ficaria incomunicável. A intérprete e eu fomos direto para a redação, no bairro de Omori, onde nasceu Akira Kurosawa.

É claro que, chegando lá — diante da presença de todos os meus algozes, que esperavam uma pena pesada —, entrei triunfante. Osny insistiu com os conselheiros do jornal (cuja maioria era de japoneses) que eu era o jornalista que mais tinha vendido matérias

75

na temporada 2006-2007. Disse também que seria "um erro enorme mandar um jovem e ótimo profissional sem ter sido preso com a maconha em mãos".

O conselho decidiu então chamar a intérprete que me acompanhara com o intuito de que ela relatasse tudo o que tinha acontecido na delegacia. Foi então que veio o tiro de misericórdia. Segundo ela, eu não merecia uma segunda chance no jornal: "Ele foi irônico o tempo todo, não cumprindo, assim, a postura japonesa de reverência máxima às autoridades, principalmente ao ter cometido um erro grave".

"Inclusive", prosseguiu a intérprete, "ele saiu da delegacia com um risinho na cara sem se desculpar nem uma única vez e, o pior de tudo, ainda deu um soco no ar na frente de todos. Depois disso, virou a rua e deu uma cambalhota antes de entrar na estação de trem", contou ela, acabando com todas as probabilidades de eu continuar como correspondente do *Brasil Shimbun*.

Em pleno apogeu como jornalista policial e no auge da minha carreira como entrevistador e repórter de música, o conselho do jornal decidiu me mandar embora "por não ter se arrependido o suficiente pelo erro cometido".

Desocupei o apartamento do jornal em Hamamatsu e fui procurar por Bodão, que estava em sua boca, com força total, em plena atividade na praia de Washizu.

De dezembro de 2007 até dezembro de 2008, fizemos de tudo no Japão.

Num piscar de olhos, passei de jornalista promissor a bandido aspirante.

Naquela temporada, Bodão e eu trabalhamos nas fábricas mais pesadas durante o inverno e traficamos muito durante o verão. Sem falar na conexão Bali-Tokyo, quando voltávamos cheios de roupa falsificada pra vender na costa leste.

Fiquei nessa de "bandido tímido" até minha redenção, em janeiro de 2009, quando voltei para o Brasil e consegui o emprego que me sustenta atualmente: vendedor de discos e livreiro no Beco das Garrafas. Nunca mais voltei ao jornalismo.

E segue o roteiro.

21.

O Rio de Janeiro, enigmático em seu sorriso, compensa de forma surpreendente toda nossa carência, nossa falta de afeto, carinho e, sobretudo, a nossa desgraça financeira.

Frequentador da Bossa Nova e Cia. desde meu primeiro ano no Beco das Garrafas, Milton Nascimento tinha um código especial quando fazia seus pedidos:

"Escuta aqui, Japa, vai ter um lance em casa hoje e eu queria que você trouxesse aquele último disco dos Cariocas." Na maioria das vezes em que me ligava à procura de um disco, Milton sempre tinha algo grande como cenário. Nunca era corriqueiro.

Nossa amizade começou quando eu ainda trabalhava no *Brasil Shimbun* e tive a oportunidade de fazer a cobertura de suas duas últimas turnês pelo Japão: *Pietá* e *Banda 4*. Nesta última, em maio de 2007, Milton fez dez *shows* consecutivos somente no Blue Note Tokyo. Dois anos depois, nos reencontramos quando eu vim trabalhar no Rio. Nunca mais perdemos contato, mas até hoje nunca lhe contei a história do disco *Ao vivo* que encontrei no meio das carnes no porto de Hiroshima.

Animado com o convite de Bituca, deixei o trabalho no Beco às seis da tarde e fui até o Sat's, onde encontrei Hugo, Matias e Jiban. Pegamos um 557 Cidade de Deus e fomos direto para sua casa, no bairro Itanhangá.

Depois de alguns anos frequentando suas reuniões, Milton tinha dado certa autonomia para eu aparecer com os demais membros da República dos Compays.

Mas Milton nunca adiantava o roteiro. Chegando lá, o susto foi duro.

Esperanza Spalding, que estava hospedada na casa dele, foi homenageada com uma *jam* que reuniu uma turma pesadíssima, só faixa preta. Rapaziada casca-grossa em último grau. O mais ingênuo seria capaz de desmontar violão usando luvas de boxe. Pela constelação que se formou naquela noite é fácil afirmar que a festa ia pegar fogo. É o tipo de coisa que só acontece uma vez na vida, e passa. Kiko Continentino no piano, Widor Santiago no sax, Wilson Lopes no violão, Ronaldo Silva na percussão e Gastão Villeroy no baixo abriram os trabalhos. Depois, Hamilton de Holanda, Daniel Santiago, Gabriel Grossi, Yamandu Costa, Bebê Kramer e Guto Wirtti, todos juntos, quebrando a banca de vez.

Na sequência, momento único: Guinga e Esperanza Spalding num dueto voz e violão que veio pelo caminho do céu.

A coisa foi séria mesmo. E ainda teve mais: Zé Paulo Becker, Dudu Lima Trio, Pedrinho do Cavaco e Maria Gadu deram continuidade.

Até que, por volta de pouco mais de uma da manhã, Milton me chamou num canto e disse:

"Japa, escolha somente um do bando. Vamos agora ao encontro de Mano Brown".

Assim que ouvi o nome do líder dos Racionais da boca de Bituca, imediatamente me lembrei do *Diário de um detento*. Era 1999, eu estava no auge do cristal em Hiroshima quando um açougueiro

apareceu no depósito do Onoda com uma fita VHS e o *clip* dessa música, que tinha acabado de vencer o principal prêmio da MTV brasileira daquele ano. As frases de Mano Brown descrevendo o "olhar sanguinário do vigia" eram o pano de fundo do segurança que todos os dias plantava guarita em nossa linha para que nenhum funcionário ousasse roubar comida vencida. "Acendo um cigarro, vejo o dia passar. Mato o tempo pra ele não me matar. (...) O relógio da cadeia anda em câmera lenta (...)" O mantra do Carandiru também tocava do outro lado do mundo. As semelhanças entre cadeia e fábrica começam pelo dialeto falado e chegam até as caixas de grave dominadas pelo *rap* que imperam nos guetos da bandidagem brasileira espalhada pelo Japão. Mano Brown, a voz símbolo das periferias brasileiras e "herói dos pivetes", era também o guia absoluto de operários e de todos os perdidos vagando de fábrica em fábrica por solo estrangeiro. Pensando nisso, percebi o quanto seria impactante ver os caras de perto.

Faltavam pouco menos de vinte minutos para os Racionais serem ovacionados na casa de *shows* Barra Music, zona oeste carioca. Mano ficou sabendo da chegada de Milton e mandou atrasar o *show* até que ele conseguisse cumprimentar o grupo. Para chegar até o palco, Milton teve que passar no meio da plateia com mais de 10 mil cabeças na pista. Primeiro, formou-se um tumulto geral. Depois, a galera toda abriu um corredor humano da porta principal até o palco e ele atravessou o salão sendo saudado por gritos de "Máximo Respeito Miltão!", "Preto Zica!", e seguimos cortando a multidão entre aplausos, assobios, abraços e saudações de manos e minas, todos juntos gritando: "Valeu pela presença, mestre!", "Miltão, você é favela, mano! Tamo junto!". E assim foi durante os longos minutos que durou o cortejo até o *backstage* dos Racionais.

Quando chegamos, Mano Brown e Ice Blue receberam Milton com todas as reverências. Na porta do camarim, em questão de segundos, um monte de aba reta começou a nos cercar. Brown cola junto, abre a roda com a bengala na mão e avisa: "Olha aí, rapaziada, fica ligado que o poderoso chefão de verdade é esse que tá aqui: Milton Nascimento! A voz das montanhas e das catedrais!". A galera que estava no *stage* aplaudiu com força.

Essa mesma cena se repetiu quando os Racionais estavam no palco.

Pouco antes do bis, Mano Brown pegou o microfone e mandou um salve ao "poderoso chefão". Bituca assistia a tudo das galerias — junto com Mr. Catra e Adriano, o Imperador — quando foi exaltado mais uma vez pela multidão, que se virou em direção a ele e passou a gritar, na fúria: "Milton! Milton! Milton! Milton! Milton!".

Eram quase seis da manhã quando cheguei à República dos Compays. Na porta de casa, fumando o último cigarro, pensei no que tinha acontecido e assumi minha sorte:

Tocar todos os dias no Beco tinha lá suas vantagens.

22.

Não tinha jeito. Com chuva ou sem chuva, sob qualquer temperatura, a gente sempre caía no Bip. Cada dia era um espetáculo diferente. Quarta-feira, noite de bossa nova. A roda era comandada por Matias no violão, Símon "Amarelinho" Bèki no fagote e Jiban Ito no baixo acústico. Nesse tipo de evento, meio de semana, era só esperar — a coisa sempre desandava. Matias e seu bossa trio já tinham tocado por duas horas quando chegou o violonista Beto Lopes, vindo direto de um *show* com Tavinho Moura no Espaço Tom Jobim, coração do Jardim Botânico.

Beto, irmão do maestro Wilson Lopes, é natural de Pitangui, uma cidadezinha tão cheia de lendas, que acabou conhecida como a Macondo mineira. Ainda adolescente, tocando guitarra, foi tentar a vida de músico em BH. Logo se fez conhecido e começou a tocar com Lô Borges, Beto Guedes, Tavinho Moura e Toninho Horta, além de muitos outros músicos mineiros.

Um dia, num *show* em que ia fazer a abertura para Hermeto Pascoal, Beto chamou atenção do bruxo. Após a performance,

Hermeto o convidou para dar uma canja em sua apresentação e ficou ainda mais maravilhado com o que ouviu. Com uma guitarra emprestada do irmão, Beto hipnotizou a plateia e, o mais absurdo, encantou o bruxo.

Ao fim do *show*, Hermeto chamou Beto para uma conversa:

"Escuta aqui, garoto: tenho outro *show* amanhã, em São Paulo, e preciso que você venha comigo imediatamente. Depois, seguimos em turnê. Você tem passaporte? Se não tiver, a gente manda fazer".

Se você perguntar para dez músicos se eles gostariam de tocar na banda de Hermeto Pascoal, um deles, mais audacioso, talvez dissesse que sim, mas o restante nem se daria ao trabalho de responder — não teriam coragem de executar uma simples nota na frente dele. Imagine então ser chamado pelo próprio Hermeto. Beto Lopes foi um deles.

Depois do convite, Beto ficou mais apavorado do que feliz. Ele tinha seus objetivos na música. Queria, claro, fazer parte desse universo e vencer na vida. Mas ainda queria aproveitar um pouco mais os ares de BH, as viagens de fim de semana para ouvir as histórias de Pitangui, beber cachaça com os irmãos e jogar bola no campo do sítio. Isso sim era vida. Inclusive continua sendo até hoje.

Sim, ele amava o estágio em que sua vida se encontrava. Cervejinha no Bolão, encontro de músicos em Santa Tereza, Cruzeiro no Mineirão, enfim, a vida que qualquer jovem gostaria de ter. Mas tinha outra coisa: Beto estava apaixonado por Sandra. Os dois se conheceram no edifício Malleta, mais precisamente na Cantina do Lucas, depois de um *show* de Beto no Palácio das Artes com o grupo UAKTI. Ambos tinham amigos em comum; o escritor Paulo Vilara era um deles e foi quem os apresentou. Se apaixonaram. Viveram noites de música pela sempre efervescente rota de bares e botecos da capital mineira.

Depois de um tempo, ninguém mais conseguia separar as imagens um do outro. Faziam tudo juntos. Em qualquer lugar que Beto estivesse tocando lá estava Sandra, assistindo de alguma mesa. Mas não era por ciúmes, nem paranoia. Sandra amava música e, principalmente, amava o som que Beto fazia e o seu desapego total pelas coisas do mundo. Para todos os infortúnios, principalmente financeiros — sempre seu maior problema — Beto tinha uma frase definitiva: "Tá tudo bem, deixa a natureza trabalhar".

Justamente nessa noite em que brilhou no palco ao lado de Hermeto no *show* em BH, Sandra teve que cuidar de uma sobrinha de seis meses, porque a irmã teve que sair às pressas para ficar com a sogra, que tinha caído no banheiro de casa, em Montes Claros, interior de Minas.

Com a vista iluminada do relógio na Praça da Estação e o viaduto de Santa Tereza ao fundo, o bruxo aguardava pela resposta de Beto.

"Hermeto, só um pouquinho, tô indo ali ligar pra minha namorada e já volto."

Ainda não eram tempos de celular. Beto teve que andar dois quarteirões para encontrar um lugar aberto que vendesse fichas telefônicas e, depois, ainda sair na caçada de um orelhão. Assim que encontrou, discou para Sandra e foi logo falando:

"Meu bem, tô ligando pra dizer que o *show* foi ótimo."

"Que bom, Beto! Mas é só isso mesmo? Sua voz está estranha."

"Na verdade, aconteceu uma coisa", assumiu ele.

"Mas foi coisa ruim?", perguntou Sandra, que já suava de preocupação.

"Não, nada disso. Hermeto me chamou pra tocar na banda dele."

"Caramba, Beto! Que máximo!", vibrou, aliviada.

"Não sei, Sandra, essa ideia de deixar BH, Pitangui, você... Não sei se quero..."

"Beto, escuta. Eu vou ficar muito triste com sua ida, claro, mas acho que você tem que saber pesar as coisas. Você tem que decidir o que vai ser melhor pra você", definiu Sandra, antes de desligar o telefone.

Hermeto ainda aguardava na Praça da Estação quando chegou Beto. "E aí, rapaz? Vambora, pegar a estrada?", perguntou ele.

"Poxa, Hermeto, desculpa aí. Mas dessa vez não vai dar, tenho que ficar aqui em BH", respondeu Beto, de cabeça baixa.

"Ih, rapaz, foi picado, foi? Já sei: uma pequena, né?"

Quase vinte anos depois, já sem Sandra, Beto voltou a encontrar Hermeto Pascoal, dessa vez no Bip Bip. Assim que ele chegou, Beto dava uma canja sozinho. Na segunda música, Hermeto, sentado à mesa de Alfredinho, começou a dar os primeiros sinais:

"Uow! É aí mesmo, rapaz! Muito bom!".

Enquanto isso, Beto voltava ainda melhor, gigante. Hermeto não aguentou, pegou o copo d'água que bebia, cruzou o Bip e foi ao seu encontro. Dali pra frente foi insanidade total. Hermeto fazia um solo atrás do outro, de olhos fechados. Impossível imaginar o poder de um copo com água. Ele pede mais. Alguém chega e enche o copo. Beto continua no *groove*, sem deixar cair, direto, até a entrada de Hermeto, que fez do *grand finale* um momento devastador com outro solo improvável produzido pelo choque entre sopro, água e vidro.

Todos no Bip seguiam sem respirar após o fim da música. Hermeto bebeu meio gole do copo, jogou o resto na cabeleira branca e, antes de voltar à conversa com Alfredinho na mesa, procurou Beto, que estava embaixo do toldo, e disse:

"Que é isso, rapaz? Ainda és o mesmo monstro! Tudo bem contigo em BH? E as pequenas, sob controle?".

23.

Camila, mesmo casada e bem resolvida, vez ou outra voltava com tudo, mas só na minha cabeça. Inutilmente eu ainda nutria expectativas, mesmo sabendo que ela nunca havia conhecido outra vida que não fosse de conforto. Mimada em casa grande, ainda teve a sorte de ter nascido com corpo e cara de Projac.

A tentativa dela comigo foi apenas um teste para provar a si mesma que também poderia fazer algo diferente além de intercâmbio na Austrália e o trabalho na madeireira do pai. No começo, ela considerava quase um ato revolucionário estar na minha companhia e fazer coisas como beber cerveja no Pavão, sentar na calçada do Bip e cruzar a madrugada na Sá Ferreira.

Ela adorava fazer uma figuração de descolada na frente das amigas — quase todas com um fazendeiro no currículo —, principalmente quando enchia a boca para falar que eu já tinha sido operário, traficante e contrabandista. Camila vivia o sonho falso da Dama e o Vagabundo.

Diante de um panorama desses, qualquer tentativa de revolução já nasce fracassada. De vez em quando, ainda vejo os reflexos de sua felicidade com o marido fazendeiro pelo Instagram: mergulho no Caribe, almoço em família no Paris 6, Giuseppe do Leblon, salto de paraquedas em Boituva, enfim, nenhuma outra vida serviria tão bem a ela. O espasmo de Camila, na tentativa de desfilar com um mendigo de *pedigree*, é a mesma dissimulação que eu vejo em algumas estrelas de Hollywood abraçando causas no Mali.

Quem nasce pra fuder como rainha jamais vai gozar como plebeia. Enquanto isso, eu tocava minhas coisas.

24.

Eu pensava que já tinha passado por quase tudo, mas nunca pude imaginar que um dia levaria uma facada.

Tudo começou em uma tarde na praia, quando João Bosco fazia um *show* aberto no Posto 4, em frente à rua Constante Ramos. Fazia aproximadamente uns seis meses que eu estava com Julia Z, uma ruiva capixaba que trabalhava na Canadian, uma locadora de vídeos ao lado do Panamá, o nosso escritório da rua Aires Saldanha, onde cumpríamos expediente sempre às quartas, antes da sessão de bossa nova no Bip.

Eu a conheci ali mesmo, enquanto bebia com Matias numa daquelas tardes de janeiro em que a cidade fervia. Como parte de um projeto de férias, vários *shows* aconteceram nas praias de Copacabana e Ipanema durante o verão de 2014. Em um desses concertos chegaram a montar uma banda com músicos originais e colaboradores do Barão Vermelho (exceto Frejat), em que todos tocaram acompanhados de um holograma de Cazuza. A aparição do poeta executando suas próprias canções para mais de 50 mil pessoas na praia foi a maior novidade naquela entrada de ano. Além dos velhos parceiros de estrada, quem também participou do *show* foi Gal Costa, que cantou daquele jeito, vapor pleno, e mostrou que, no quesito voz feminina, é ainda quem manda na quebrada.

O *show* de João Bosco naquela tarde, acompanhado de Ricardo Silveira na guitarra, Ney Conceição no baixo e Kiko "Monstro" Freitas na bateria, era simplesmente a desculpa perfeita para convidar Julia. Havia meses eu ficava na calçada, lançando olhares, uma rajada atrás da outra durante todo o tempo em que sorvia originais com doses de salinas. Eu já sabia que ela deixava o trabalho às cinco e meia, então tratei de pagar a conta uns dez minutos antes e me postei de sentinela quase na frente da Canadian. Apesar de nunca termos conversado, minha fisionomia não era totalmente estranha para ela, ainda mais depois de tanto tempo que eu havia gasto em frente ao Panamá tentando um contato visual.

Na hora da saída, assim que ela ficou de frente para mim, fui logo cumprimentando. Me apresentei, depois perguntei seu nome (que eu já sabia havia muito tempo) e mandei direto o lance do *show* do João Bosco. Sua primeira reação foi fazer uma cara não muito positiva, mas depois acabou aceitando.

Mal entramos na Santa Clara, em direção à praia, já segurei a mão dela para atravessar a rua e não soltei mais. João fez o *show* inteiro com uma energia de mil pretos. Enquanto isso eu me entendia com Julia muito mais rápido do que esperava. Saímos do Posto 4 direto para o Bip. Depois de tanta luta naquelas dezenas de tardes buscando um lugar ao sol na calçada do Panamá, já não via a hora de apresentar a novidade à rapaziada da Almirante Gonçalves.

Não demorou muito e eu já estava íntimo da cozinha perfumada pelas maravilhas que a mãe de Julia preparava quase todas as noites após o trabalho. Desde 2003 — quando chegaram de Vitória para tentar a vida no Rio — ambas dividiam um quarto e sala no

edifício Master, prédio que o documentarista paulistano Eduardo Coutinho tornou mundialmente conhecido. Foram quase seis meses de um relacionamento que nunca foi turbulento, até ela começar a insistir diariamente para eu mudar meu *status* do Facebook para "relacionamento sério".

Eu ia levando essa história como dava até o dia em que ela me deu um prazo final: disse que eu tinha três dias para mudar meus *status* ou não precisava voltar nunca mais. Acabei não mudando e, dessa forma, despertei a ira de uma leoa em plena noite zona sul.

Era mais uma madrugada do Vulcão Erupçado, a festa com as gatinhas de praia mais espetaculares de todo o Rio de Janeiro. O evento, que conta com um grupo tradicional de forró pé de serra, sempre acontece no Arpoador. E quando tem Vulcão, neguinho faz de tudo para arranjar briga com a namorada. No meu caso, a demissão foi involuntária. A última notícia que tive de Julia tinha sido uns dois dias antes, quando ela me mandou uma mensagem pelo WhatsApp em que acabava comigo pelas próximas cinco gerações.

Uma das passagens de que não me esqueço é quando ela diz que a minha pior canalhice foi ter puxado tanto o saco da mãe dela no começo de nosso relacionamento a ponto de Dona Rosa ter passado a me considerar o homem da casa.

Eu estava acompanhado de Hugo Sosa e Jiban; a gente tinha acabado de fumar um na Praia do Diabo quando vi Julia se aproximando. Percebi que ela estava nervosa, mas até aí tudo bem. De cara, ela já chegou me cobrando uma postura. "Danilo, você é um escroto, seu filho da puta!", mandou ela, na lata, com os primeiros sinais de descontrole. Depois continuou. "Vou te dizer uma coisa, seu babaca: trinta e três anos nas costas e fazendo papel que nem moleque de quinze faria." Ocorreu então uma gritaria que chamou a atenção geral de quem estava no Arpoador, quando, do nada, Julia fez um silêncio, se virou para mim e pediu um beijo. Ingenuamente, achei que aquele seria o momento perfeito para terminar tudo de uma vez e esclarecer as coisas.

Errado. Pois, quando eu menos esperava, senti uma lâmina cortando meu antebraço como se fosse uma peça de atum. O golpe que ela me deu de canivete foi idêntico ao de um samurai: rápido e preciso. Analisando hoje, percebo que a intenção dela não era enfiar a faca, à vera, como numa estocada de cadeia. Mas sim cortar a pele de um jeito que rendesse pelo menos uns dez pontos e, melhor ainda, uma cicatriz bem em cima da minha tatuagem preferida.

Jiban e Hugo amarraram uma camiseta no meu braço a fim de estancar a sangria e fomos direto ao hospital de Ipanema, que ficava a cinco minutos a pé do Arpoador, exatamente em frente à República dos Compays. Hoje, tenho certeza, morar naquela rua tinha mesmo vários significados.

25.

Ainda me recuperava do ferimento quando fui ao Theatro Municipal para assistir a um *show* em homenagem ao aniversário da Rádio JB FM. Milton Nascimento e a Orquestra Sinfônica Brasileira eram as principais atrações da noite. Na plateia, o diretor Spike Lee, que estava passando uma longa temporada no Rio de Janeiro por causa das filmagens do documentário *Go Brazil Go*.

Após a participação de Bituca, fui até a porta do teatro e encontrei Antonio Lima, o Boi, motorista dele havia mais de vinte anos. Ele me disse por onde iam sair ao fim do *show* e eu fui até lá para cumprimentá-lo. O tumulto estava muito grande, então Milton pediu que Antonio me enviasse uma mensagem com o endereço para onde seguiriam.

Naquela noite eu tinha a companhia de Anna Sugghay, uma garota de Brasília que apareceu no Bip pouco depois da facada no Vulcão. Mas, com ela, eu ainda estava engatinhando. Anna era uma morena recém-formada em arquitetura, cheia de si, gatíssima com força e, pra piorar, vinte e três pés remando em alta velocidade do

Danilo "Japa" Nuha

lado contrário aos meus quase 3.5. Mesmo assim, pegamos um táxi até o prédio da avenida Vieira Souto indicado no endereço que o Boi tinha me passado na saída do *show* do Milton no Municipal.

Parecia um código. Desci do carro e já fui dizendo somente o número do apartamento ao porteiro, que nem precisou usar o interfone para liberar nossa entrada. A porta estava aberta: tratava-se de uma recepção para Spike Lee, que estava no sofá da sala ouvindo música com Caetano e Milton, com quem fui conversar assim que entrei.

Algum tempo depois, Emicida (junto de seu irmão Fiote) chega para falar com Milton. Deixei os três conversando e fui em direção à sala, onde vi Seu Jorge, que tocava violão numa roda formada por Pretinho da Serrinha, Dadi, Pedro Baby e Mart'nália de copo na mão, em pé, no meio da galera, batendo pandeiro e puxando samba. Do outro lado, Caetano, Milton e Spike Lee faziam parte de um coral pouco provável se o apartamento não fosse de Paula Lavigne, guia absoluta no *front* que passou a movimentar o sistema de gerenciamento musical brasileiro muito antes do Golpe de 2016 e que, naquela mesma semana, tinha sido capa da revista *Trip* com a manchete: "A mulher mais odiada do Brasil?".

Percebi logo que Anna ia me dar muito trabalho nessa noite, ainda mais usando aquele vestido preto com sua barriga — dura e bronzeada — completamente à mostra. E bastou eu me virar para buscar uma cerveja que, quando percebi, Mart'nália já conversava animadamente com Anna no salão. Decidi não deixar a sorte escapar e cheguei junto.

Minha tática não estava dando muito resultado. E após Mart'nália ter manipulado as atenções de Anna por quase meia hora, decidi ir à janela e fumar um cigarro. Quando voltei, a situação estava ainda pior. O ator Fabrício Boliveira, estourado nos cinemas de todo o Brasil por causa de seu papel principal em *Faroeste Caboclo*, estava sendo envolvido totalmente pelos encantos de Anna.

Vi que a maior parte dos ataques vinha do lado dela, que conversava de um jeito absurdamente pra frente. Mas o jogo não estava perdido. Sem que eu esperasse, Fabrício foi sequestrado da conversa com Anna por um grupo de três amigas que tinham acabado de entrar.

De volta ao campo, fui com Anna para o tudo ou nada. Naquele terraço, à beira-mar de Ipanema, ela tomou a iniciativa. Virei rei.

Mas o sonho não durou muito tempo. As coisas fluíam perfeitamente até a chegada de Seu Jorge. Mas, como eu já tinha passado pela Mart'nália e pelo Fabrício Boliveira, minha moral não estava tão baixa. E, mesmo sabendo que Seu Jorge era faixa preta no estilo, quis ficar. Só não contava com a grande forma do adversário.

Num direto arrasador, típico de nocaute, Seu Jorge aproveitou o silêncio momentâneo da roda e segurou o braço de Anna com toda malandragem possível. Depois, chegou os lábios bem perto do ouvido direito dela e, num golpe baixo, começou, bem tranquilo, os primeiros versos de *Eu sei que vou te amar*.

Mesmo agonizando na lona, ainda consegui ver o arrepio nos braços de Anna e seus olhos brilhando diante da declaração fulminante do peso-pesado Seu Jorge, incontestável campeão da noite.

Peguei uma garrafa de vinho e fui beber minha derrota na janela do apartamento. Mal dei o segundo gole quando apareceu Marcus Preto, jornalista, produtor e diretor musical de Gal Costa num dos maiores clássicos da era moderna: o álbum "Estratosférica".

Alta patente da praça Roosevelt, boêmio andante, colecionador viciado da Vila Mariana e guru máximo do Bar Balcão, Marcus Preto também frequentava o Beco havia anos:

"E aí mano, o que aconteceu? Tá com uma cara de trouxa".

"Porra, veado, acabei de perder uma mina pro Seu Jorge."

"Ah não, Japa, que é isso? Mas você tá achando ruim?"

"Caramba, Preto, cê tá loco? E não é pra achar?"

"Ah Japa, vá se fuder! Ainda ontem você não passava de um fudido passando frio lá no Japão. Agora tá aqui, em Ipanema, na casa da Paula Lavigne disputando mina com Seu Jorge na frente do Spike Lee, do Caetano e do Milton! Ah mano, vaza daqui, você é muito trouxa mesmo..."

26.

No mundo de hoje, em que tietes de Aécio Neves, Eduardo Cunha, Feliciano e Michel Temer fazem panelaço com camisa oficial da CBF e o roqueiro Lobão discursa em trio elétrico ao lado de militantes pró-ditadura, está quase impossível conseguir algo sem usar a força bruta — seja da grana ou da beleza. Nesse caso, como não temos nenhuma das duas, a regra básica é não deixar passar nada. Ou, como Hugo Sosa costuma gritar com seu sotaque cordobês encharcado de Fernet pelas ruas de Copacabana: "*No pasa nada chauan!*".

Era fatal, toda noite, geralmente depois das cinco, mandar a última no Stillus, um bar 24 horas na rua Sá Ferreira, em frente à subida do Pavão-Pavãozinho. A maioria dos garçons, leões de chácara, prostitutas e travestis que trabalhavam na viração da zona sul e que moram naquela área de Copacabana sempre acaba ali os trabalhos.

Jiban costumava ter ensaio com a OSB de segunda a sexta às oito da manhã, na Cidade da Música, na Barra. Hugo também tinha que acordar cedo para arrumar o almoço no Zissou, em

Meus pais adotivos, Mitsuo Nuha e Setsuco (sentados), e meus irmãos Mário, Maurício e Elizabeth.

Parte de minha família adotiva no Bar Boa Sorte, em Campo Grande (MS), no começo dos anos 1970.

Foto geral do clã Nuha-Okumoto no balcão onde fui deixado pela minha mãe biológica aos dois dias de nascido.

Minha mãe adotiva, Setsuco, com o prato na mão, e minha irmã Elizabeth, na ponta direita. À esquerda, foto de meu pai adotivo quando jovem.

Ser criado em botequim é a certeza de boêmia precoce. Festas como esta eram diárias na minha infância.

Bar Boa Sorte. 1989. Meu pai, Mitsuo, atrás do balcão. Eu, sem camisa, escorado na mesa de sinuca. *Habitat Natural*

Kyuban Danchi, condomínio de trabalhadores braçais mais famoso de Nagoya.

Santos Pereira
Serviço Notarial e Registral

CERTIDÃO DE NASCIMENTO

CERTIFICO que às Folhas 118v do Livro A 0027, sob Nº de Ordem 17842 foi lavrado, no dia VINTE E UM (21) do mês de SETEMBRO (09) do ano de mil novecentos e OITENTA E UM (1981), nesta Circunscrição de Registro Civil, o assento de nascimento de DANILO GUSTAVO NUHA, do sexo MASCULINO, nascido no dia VINTE E NOVE (29) de AGOSTO (08) de mil novecentos e OITENTA E UM (1981), às 20:40 horas em DOMICILIO-LOCAL. , na cidade de CAMPO GRANDE. (MS), filho de MIGUEL MITSUO NUHA. e de SETSUCO NUHA. ; sendo ele natural da cidade de CAMPO GRANDE-MS. , e ela natural da cidade de CAMPO GRANDE-MS. . São avós paternos KINGUAN NUHA. e KAME NUHA. ; e avós maternos YOSKI OKUMOTO. e CHIO OKUMOTO.

Foi declarante O PAI. e serviram de testemunhas:
TOMAIS YOKOO.
BRAS,MAIOR E AQUI RESIDENTE.
JOSÉ DE SOUZA.
BRAS,MAIOR E AQUI RESIDENTE.
Observação: SENDO O 4O FILHO.

O referido é verdade e dou Fé.

Campo Grande (MS), 22 de JANEIRO de 2001.

DR.GUSTAVO BARBOSA DOS SANTOS PEREIRA
OFICIAL DO REGISTRO CIVIL DA 2ª CIRCUNSCRIÇÃO

Mesmo sendo filho adotivo, fui registrado como natural, graças à ajuda de um cachaceiro cliente fiel do Bar Boa Sorte. Repare no grau etílico do mesmo na hora do registro: Brás, testemunha e vendedor de redes no Mercadão aparece duas vezes, mesmo sem sobrenome.

Santos Pereira
Serviço Notarial e Registral

CERTIDÃO VERBUM AD VERBUM

LIVRO "A" N° 27 FOLHA N° 118vs TERMO DE NASCIMENTO N° 17842. Aos Vinte e Um (21) de Setembro (09) de Mil novecentos e Oitenta e um (1981), nesta cidade de Campo Grande, Capital do Estado de Mato Grosso do Sul, em Cartório compareceu O Pai, e, perante as testemunhas abaixo nomeadas e no fim assinadas, declarou que no dia Vinte e Nove (29) de Agosto (08) de Mil Novecentos e Oitenta e um (1981), às 20:40 horas, tendo como local: Domicílio Nesta Cidade, Campo Grande (MS), nasceu uma criança do sexo Masculino, que recebeu o nome de DANILO GUSTAVO NUHA, filho(a) de Miguel Mitsuo Nuha, natural de Campo Grande (MS), de profissão Comerciante, residente e domiciliado na Rua 07 de Setembro, 91, Centro; e de Setsuco Nuha, natural de Campo Grande (MS), de profissão Comerciante, com 50 anos na ocasião do parto, sendo avós paternos Kinguan Nuha e Kame Nuha; e avós maternos Yoski Okumoto e Chio Okumoto. Nada mais declarou. Dou fé. Lido e achado conforme, assinam declarante e as testemunhas que são: Tomais Yoko e José de Souza. Observação: Nenhuma. Eu, _____ Oficial do Registro Civil da 2ª Circunscrição subscrevo e assino.

Campo Grande (MS), 08 de Dezembro de 2004.

OFICIAL

Idmilson Rodrigues de Almeida
ESCREVENTE

Meus pais adotivos e meu irmão taxista Mário (morto devido a uma diabete em 2009), em foto tirada no ano de fechamento do Bar Boa Sorte em 1998, após quarenta anos de atividades.

O Bar Boa Sorte nos dias de hoje, coincidentemente batizado de Pastelaria do Milton.

Hiroshima. 1998. Dezessete anos de idade. Limpador de fossa, descarregador de caminhão e açougueiro viciado em cristal. Quase 100 quilos de pura química.

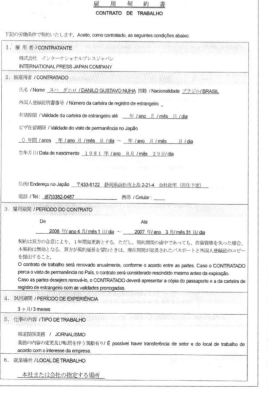

Após ter feito de tudo em solo japonês, de operário a *bandido aspirante*, voltei em 2006 como jornalista profissional e diplomado. Contrato assinado e muitos problemas.

A mais famosa pintura de *Hokusai* era o símbolo da gangue de Bodão em Hamamatsu. Éramos tão malucos por este tipo de arte que no auge do tráfico e do contrabando Bali-Tokyo, chegamos a comprar um *Hokusai* original no mercado negro da Yakuza apenas para deixar pendurado na boca de fumo em Washizu.

Foto tirada no topo do Monte Fuji – eu, sou o do meio – exatamente na época em que voltei ao Japão como jornalista, em 2006.

www.ipcdigital.com/br

Danilo Nuha
Repórter
Cel.: **090-1796-2719**

International Press Japan Co.
〒143-0023 Tokyo-to, Ota-ku, Sanno 2-5-13,
Omori Kitaguchi Bldg. 5F
Tel: (03) 3774-4083 Fax: (03) 3774-4092
E-mail: danilo@ipcjapan.com

Entre 2006 e 2007, vivi o auge da minha carreira como jornalista. A foto acima, ao fim da mesma escalada ao Monte Fuji da página anterior, traduz bem a situação. O cartão de visita, ao lado, não me deixa mentir.

João Donato, sua esposa Ivone Belem, e eu num jantar regado de boas-vindas oferecido pelo Blue Note Nagoya.

A aventura com João Donato começou no camarim do Blue Note – antes do primeiro *show* por volta de 19h – e se estendeu até quase de manhã numa das ruas do bairro de Sakae.

Naquela noite, até de *bike* João Donato cruzou as ruas de Nagoya na companhia de uma pá de *dekasseguis*.

O auge no Japão como jornalista durou pouco, mas tudo devidamente aproveitado até a última. Conheci muita gente influente do *showbusiness*, como Marisa Monte, com quem tive um longo papo numa suíte do Hotel Hilton em 2007.

Não há um só músico de MPB que seja famoso internacionalmente que eu não tenha visto, contado história ou assistido tocar. Com Roberto Menescal não foi diferente, como nesta foto tirada antes de um *show* em Osaka.

Milton Nascimento, o Mito, que conheci também no Blue Note, em Tokyo, aparece comigo nesta foto numa sessão de chá verde no Hotel Okura.

Como correspondente em Tokyo, nada era impossível. Tive acesso livre em qualquer buraco onde tocasse música no Japão. Até os mais disputados, como o Tokyo Hall, onde cobri os dois últimos *shows* de João Gilberto fora do Brasil. Esta foto, na entrada do *show* de João, é de Renan Okumoto, primo, operário e fotógrafo, que tinha me dado um ácido holandês minutos antes deste registro.

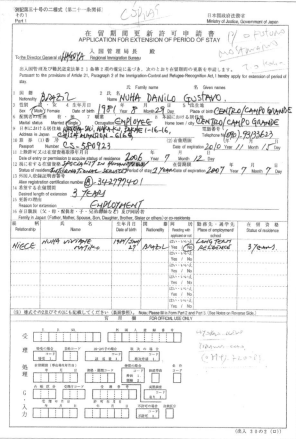

Minha queda foi vertiginosa. Após ter sido preso em Tokyo, contei com a ajuda de amigos para conseguir um novo visto e evitar a deportação. O documento saiu como se eu fosse contratado como *design gráfico* de uma empresa em Nagoya, mas, na vida real não foi nada disso.

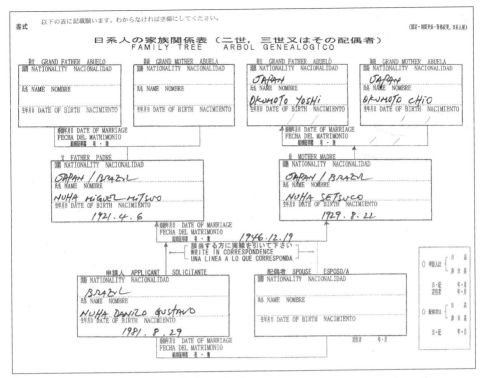

Árvore genealógica dos Nuha. Onde fui incluído mesmo sem o puro sangue japonês.

Após a prisão, voltei pra lida numa fábrica no inferno industrial de Kosai. Fui do auge no jornalismo japonês ao declínio camicase na fábrica.

Fotos de meu apartamento em Hamamatsu com a planta de maconha ainda precoce que o próprio jornal onde eu trabalhava entregou à polícia.

O ápice do contrabando da conexão Bali depois da prisão em Tokyo: surfe na praia indonésia de Airport. Nesta foto, eu sou o primeiro da esquerda.

KETUT WISADA

Gang Poppies II
Br. Pengabetan
Kuta Beach - Bali
Phone : (0361) 751446 - 752247

Address :
Jl. Kuta Theatre No. 12
Phone : (0361) 752116 / 081 338 775 225
Kuta - Bali

WAYAN'S TOUR

KIJANG INNOVA + DRIVER
PRICE RP. 250.000
(12 HOURS TOUR)

CONTACT :

WAYAN'S :
Hp. 081 338 775 225

Driver :
Putu Pande Astawa
Hp. 081 916 358 237
Stand by :
Harris Resort Kuta

Cartão de visita de nossa base em Bali e, ao lado, o endereço falso da casa que nos fornecia chá de cogumelo como se fosse suco de fruta.

NUHA DANILO
Name ヌハ ダニロ
担当者: 原屋敷 090-4854-3094
羽田 090-7682-8105
北川 090-7020-4643
Address 〒432-8023 静岡県浜松市鴨江四丁目4番10号
Tel 053 (458) 2727 Fax 053 (458) 6529

株式会社 タイヘイテクニカ

CUMPRIR AS NORMAS ABAIXOS
1. DO ESTACIONAMENTO (DIA E NOITE).
2. NAO BATER O CARTAO DE OUTRA PESSOAS
3. NAO USAR PERFUME NA FABRICA
4. NAO FALTAR (QUANDO FOR FALTA)
AVISAR AO SUPERIOR DA SECAO SEM FALTA
5. NAO COMER NA AREA DE FUMANTES
(E NAO JOGAR O LIXO)
6. NAO JOGAR O LIXO NA AREA DO CARTAO DE PONTO
7. O LIXO TRAZIDO DE FORA FAVOR LEVAR DE VOLTA.
8. USAR CRACHAR A UNIFORME CORRETAMENTE.
9. NAO LIMPAR A MAO COM PAPEL HIGIENICO.
10. USAR A SAPATEIRA PARA TROCAR O MESMO
11. E PROIBIDO O NAMORO NA FABRICA
ASS:

Três anos depois de *vida loka* na terra do sol nascente, a foto do crachá da última fábrica em que trabalhei antes da fuga para o Rio mostra minha degradação física – bem diferente dos tempos de bonança no Blue Note. Detalhe para as instruções comportamentais do parque industrial de Kosai, em português.

Antes da fuga para o Rio, passei uma temporada de desintoxicação em Okinawa, terra de meus pais adotivos. Até hoje guardo essa passagem como recordação – comprada por Roberto Maxwell, pensador carioca radicado em Tokyo.

Na minha chegada ao Rio, já morando no Pavão-Pavãozinho, sugeri aos meus amigos da boca uma homenagem a grandes artistas da MPB nos selos de papelote. O primeiro foi Roberto Carlos, que na época fazia cinquenta anos de carreira. Já o selo Trem Bala, foi feito em minha homenagem pouco antes da invasão mal-sucedida das UPP's.

No Beco das Garrafas, com João Donato e Ogawa, monstrando o funcionamento de um triturador que me foi enviado por Banksy direto de São Francisco.

Na casa de Milton Nascimento com Esperanza Spalding.

Com Milton Nascimento e Mano Brown antes de um *show* dos Racionais no Rio de Janeiro.

À direita: Nas ruas do centro de São Paulo com Criolo e seu pai, Cleon.

Na igreja Nossa Senhora da Paz, em Ipanema. Encontro improvável entre Milton e Roberto Carlos pouco depois do episódio com João Donato.

Após o *show* no Barra Music, Milton e Brown se tornaram mais próximos. E, em todos os encontros posteriores ao *show* no Rio, eu estava na companhia de Milton.

GOVERNO DO ESTADO DE MATO GROSSO DO SUL
SECRETARIA DE ESTADO DE JUSTIÇA E SEGURANÇA PÚBLICA
SUPERINTENDÊNCIA DE SEGURANÇA PÚBLICA
COORDENADORIA DE PERÍCIAS
INSTITUTO DE IDENTIFICAÇÃO "GONÇALO PEREIRA"

ATESTADO DE ANTECEDENTES CRIMINAIS

45957

Registro Geral nº __909.442 SSP/MS__

Atesto que nos arquivo deste Instituto, até a presente data, NADA CONSTA contra a pessoa de DANILO GUSTAVO NUHA, Filho de Miguel Mitsuo Nuha e de Setsuco Nuha.- cuja impressão digital do polegar direito se vê abaixo.

Campo Grande-MS __11__ de __Janeiro__ de __2006__

GAUDÊNCIO BAPTISTA NETO
Delegado de Polícia
Diretor do Instituto de Identificação

ESTE DOCUMENTO ATESTA A SITUAÇÃO DO ARQUIVO CRIMINAL PESQUISADO NESTA DATA.

Assinatura do Identificado

"O último "Nada Consta" a gente nunca esquece"

Polegar Direito

O ÚLTIMO NADA CONSTA A GENTE NUNCA ESQUECE.

Botafogo. Mas nada disso impedia alguém de dormir no máximo três horas por noite. Nossa estada nesses bares de saideira sempre dependia de quem estava na roda.

No Stillus, as coisas iam aparecendo.

A frase que mais sintetiza esse pé-sujo na Sá Ferreira saiu da boca de Beto Boca-Dura, preto de Cosmos, capoeira angola e boxeador clássico das lutas amadoras comandadas por bicheiros em galpões pegando fogo sábado à noite na zona norte carioca. Boca-Dura, após dez anos mandando geral na vagabundagem do Stillus, estava passando a guarda para um leão de chácara mais novo. Ainda hoje, todos os pinguços que frequentam o bar costumam repetir a frase que ele usou quando saiu do lado de fora do bar para dar conselhos ao recém-chegado mais novo funcionário da casa:

"Irmão, pense no ambiente de um zoológico. Então, imagine agora um zoológico e um hospício dividindo o mesmo lugar. Pegou? É isso, meu camarada, você acaba de passar no teste. O que eu te disse agora é tudo que você precisa saber sobre o Stillus".

Matias, Hugo, Jiban e eu bebíamos uma cerveja do lado de fora em mais uma noite de seca severa quando fui expulso do bar aos gritos. A história toda começou quando olhei para o lado de dentro do Stillus e vi uma mulher magra, cabelos castanhos claros e feições completamente pálidas. Ela fazia parte do tipo de bebum que classificávamos de morcegoides, tipos que conseguíamos ver somente durante a madrugada. Mas, como muitas vezes um de nós também caía desse lado, a afinidade era imediata.

Quando perceberam que eu ensaiava uma investida, todos na mesa foram contra. Principalmente Matias, argumentando que isso já ia além de qualquer apelação. Fui ao banheiro, mas na volta, parei na frente da garota e a convidei para sentar conosco no lado de fora. A cara do Matias, quando me viu saindo do bar com a mina em direção à mesa, foi a mesma de um pai quando vê o filho na biqueira.

Hugo e Jiban permaneceram calados até que perceberam uma espinha tão cheia de pus no rosto da mina que, pela reação deles, parecia que estava prestes a explodir outro *big bang*.

Percebendo que os protestos não surtiam efeito, Matias, Hugo e Jiban foram embora antes que a história tivesse seu curso final.

Bebemos mais umas três originais e, quando já rolava uns beijos mais próximos da boca, com espinha e tudo, a morcegoide simplesmente apagou na mesa. Eu ainda tentei acordá-la várias vezes para irmos embora, sem resultado. Foi quando chegou Cibele, a puta mais gostosa das madrugadas no Stillus. Não tinha um naquele bar que não tivesse desejos dos mais bizarros com ela. Mas, como diz Hunter Thompson: "foder só é divertido para quem é amador. Putas velhas não ficam dando risadinhas por aí. Nada é divertido quando você precisa fazer aquilo — muitas e muitas vezes, dia sim e outro também — para não ser despejado. Com o tempo, tudo enche o saco".

Com Cibele era exatamente assim. Eram poucos os aventureiros que davam em cima dela no Stillus. Todo mundo sabia: quando ela chegava naquele bar, tinha o seu único momento sagrado de lazer. Os macacos velhos de plantão nunca tentavam nada; outros, uns gatos-pingados desavisados, sempre se davam mal. Esses, infelizmente, ainda hoje não conhecem as canções. Eu, que não conhecia até aquela noite, agora já decorei a sinfonia inteira.

Cana-mar, o garçom que também faz uns bicos como sósia do Justin Bieber em festas de pré-adolescente, me disse ao pé do ouvido que tinha "uma gostosa sentada atrás de mim". Desde o começo, a intenção dele era me batizar com o último rito de passagem do Stillus: "Nunca dar em cima de uma puta fora do expediente, a não ser que você seja o cara escolhido". Eu ainda não me ligava nesse tipo de ensinamento quando deixei a morcegoide dormindo na mesa e investi pesado em Cibele.

Mal disparei a primeira frase e a expulsão veio quente, na frente de todos:

"Vaza daqui, seu cara de pau! Filho da puta! Tua esposa dormindo na mesa e você dando em cima de outra! Some da minha frente, babaca! Cai fora, arrombado! Olha que eu quebro essa garrafa e enfio no teu cu!".

27.

Uma das coisas mais impressionantes do Pavão eram as rinhas de *pit bull*. As poças de sangue que se formavam após cada mordida nunca mais se desfazem na lembrança. Esse tipo de rinha nunca tinha hora nem lugar certo para acontecer. E quando ninguém esperava, elas apareciam.

A maioria das lutas que eu vi aconteceu ali mesmo, na Saint Roman, durante madrugadas menos suspeitas. Na verdade, foram poucas que eu pude ver de perto, já que, nessas horas, eu quase sempre estava em volta do Bip. Mas, o que eu pude observar, já foi o suficiente.

Minha janela do número 302 na pensão do Gringo também ficava de cara pra reta principal da Saint Roman. Uma noite, como raramente acontecia, eu estava em casa me curando de uma gripe quando tudo começou. Olhei pela janela e vi a cachorrada se trucidando logo na primeira troca de mordidas. O sangue correu solto na ladeira. Desci para o bar do Bigode ouvindo a gritaria incessante dos donos dos cães, da torcida formada por uns quarenta apostadores e, o mais impactante, o latido raivoso dos cães.

Não conseguíamos ficar muito tempo parados no mesmo lugar. A cachorrada ia trocando mordidas em todos os buracos possíveis da rua. Assim como num estouro de boiada, eles entravam em todos os bares, mercearias, derrubavam barracas de biscoito, churrasquinho e seguiam se digladiando enquanto a galera apavorava.

De repente o boteco do Bigode era esvaziado pela clientela de bebuns catando copos de cachaça, garrafas de cerveja e correndo pela rua assim que os cães entravam explodindo tudo pela força de suas carcaças.

Tinha bêbado que caía na rua, batia a cara no chão e ainda voltava pra dentro do bar. Depois, pedia outra pinga e, bastante machucado, continuava lá, vendo a luta até o final. Tudo isso sem entender nada.

Pela intensidade, eu diria que aquela correria de bêbados e cachorros encharcados de sangue cruzando uma favela carioca a mil era o tipo de cena que não deixava nada a dever para Tarantino nenhum.

Quando a população do Pavão-Pavãozinho era saudada com esse tipo de acontecimento, a ladeira centenária da Saint Roman em nada se diferenciava das festas de São Firmino que acontecem todos os anos em Pamplona. Mas, em nosso cenário tropicalista, sem o *tempero* da Espanha, cachorros se adaptam muito melhor do que touros.

E a luta mais absurda de que se tem notícia aconteceu na pista de *skate* do parque Garota de Ipanema, no Arpoador.

Com a chegada ostensiva da polícia dentro do morro devido às atividades do secretário de segurança José Mariano Beltrame e seu processo de invasão, as rinhas estavam diminuindo drasticamente. E uma das últimas que presenciei parece ter sido organizada para deixar o impacto mais *trash* possível.

Foi quando soube que Domenico (dono do Restaurante La Ravena, na rua Duvivier, ao lado do Beco das Garrafas) era também um dos maiores chefes de matilha do Rio de Janeiro.

Sobrinho do bicheiro Astor Maldade, o *playboy* Domenico levara naquela noite dois cães para uma luta casada com Baiano, comandante do controle de barracas na feira de artesanato da avenida Atlântica, no Posto 6.

Ainda agora sinto a trepidação daquele derramamento. Os dois cães de Baiano, treinados por ele mesmo, morreram facilmente diante da voracidade dos animais dopados por Domenico. A pista de *skate* do Arpoador, antes vazia, ficou com o fundo cheio de sangue. Os cães mortos, na solidão da noite, ficaram à mercê da própria sorte, mergulhados num caldo cáustico, grosso e avermelhado.

28.

Sexta-feira, 28 de fevereiro. Primeiro dia de carnaval no Rio de Janeiro. As festas de 2014 ficaram marcadas pela falta de habilidade do prefeito Eduardo Paes em conduzir a negociação em uma greve de 15 mil garis da Comlurb que, com o irrisório salário de 874 reais, reivindicavam um reajuste de 225.

Fanfarrão de faixa no peito, Paes deixou que a cidade ficasse emporcalhada até depois da quarta-feira de cinzas. Padrinho político do espancador de mulheres Pedro Paulo e *playboy* zona sul de família tradicional que nunca cumprimentou um gari quando esteve fora de campanha, Paes também comandava uma verdadeira política do medo que contava até com robocop antiprotesto da PM.

É impressionante como as pessoas que estão no Rio querem sempre mais durante o carnaval. Nessa época, ninguém se contenta com pouco. A cada esquina, mil mulheres impossíveis. E os vagabundos, como sempre, à espera de um resgate.

Na República dos Compays, o saldo não poderia estar pior. Se juntasse a grana de todo mundo não dava 50 reais. E ainda era

sexta-feira, a sexta-feira mais importante do calendário carioca. A cidade tremia.

Hugo, que estava a caminho do trabalho com uma ressaca de quinta, fruto do Pavão Azul, percebeu pouco antes de sair que o pneu da bicicleta estava furado. Pediu o metrô-card de Matias emprestado e foi trabalhar. Naquela mesma manhã, ele soube que sua última grande paixão estava em Lisboa com o professor de capoeira dos tempos em que ela fazia trabalho social na Rocinha enquanto terminava o mestrado em antropologia na UFRJ.

Diante de um confronto assim, qualquer reação fica difícil.

Tirando o Bloco dos Barbas, em Botafogo, o carnaval do Bip Bip e o desfile do Bangalafumenga, no Aterro do Flamengo, a alegria da festa ao som de trios elétricos tocando sertanejo universitário em nada nos comovia. Era como se esse tipo de mundo não coubesse em nossa mesa de barata morta e copo de plástico com cerveja quente da Sá Ferreira, no Stillus nosso de cada dia. Ali, fazíamos quatrocentos mil planos. Mas nada de aliviar a pressão, que fervia.

Naquele 2014, o carnaval estava em tudo. Pesado. Consumia sem dó, tomava ácido, cheirava foda, cantava rua e fumava mundos no descontrole roubado da multidão. São cinco dias de uma seringa programada pra um pico. Na agulha, a mais pura e, com ela: o grande momento do ano. Carnaval.

29.

O apartamento do advogado Jairo Leão, na avenida Atlântica, em Copacabana, já foi uma das maiores referências de encontros musicais no Rio de Janeiro. Compositores se misturavam a artistas plásticos, cineastas, atores, jornalistas e um sem-fim de bicões. O que se passou ali, antes do estouro definitivo da Bossa Nova, em 1959, foi protagonizado pela turma de sua filha Nara, que tinha entre os membros Ronaldo Bôscoli, Menescal, Carlos Lyra e, de vez em quando, João Gilberto. Ao mesmo tempo, mas em outra sala, havia a lista de convidados do bonde pesadão em volta da mesa sempre regada do dr. Jairo, que frequentemente recebia Millôr Fernandes e Dorival Caymmi. Vinicius de Moraes era o único que circulava por todos os cômodos.

Numa cidade como o Rio de Janeiro — carregada de 450 anos oficiais nas costas — são milhares as histórias de festas célebres.

No século XXI podemos citar como pontos-chave a cobertura de Rubem Braga, na rua Barão da Torre, e a casa de Aníbal Machado, ao lado do falecido bar Zepelin, em Ipanema.

Mas, quando alguém for contar sobre os momentos que antecederam ao Golpe Coxinha no Brasil, certamente o número 206 da Vieira Souto terá um capítulo à parte no verbete musical da história. Muita gente fala da presença que Paula Lavigne causa. De perto é um vulcão. Do mesmo modo, os encontros mais desconcertantes de toda a cena nos anos 2000 aconteceram naquele mesmo prédio onde um dia viveu JK, em Ipanema.

Como dizia Marcus Preto, "aquelas festas eram mais disputadas que vaga na ABL". Uma vez lá dentro, éramos os caras, mesmo sabendo que no dia seguinte a correria diária nos esperava: chutar poste de concreto, pagar o aluguel, pedir fiado no Bip Bip e dar joelhada em fradinho de pedra na zona sul do Rio.

Aquela noite, sete de março de 2014, tinha sido organizada para receber a cantora portuguesa Carminho. De férias no Brasil, a fadista estava sendo festejada por Chico Buarque, Caetano Veloso, Fernanda Montenegro, Milton Nascimento, Ney Matogrosso e uma gama inteira de galácticos.

Seu Jorge, o mesmo que roubara meu cinturão na última festa, também estava lá, assim como Camila Pitanga, Mariana Ximenes, Carolina Dieckman, Fernanda Torres, Marisa Monte, Lenine, Andrucha Waddington e, mais uma vez, Spike Lee, causando estardalhaço com a entrada de cinco caixas de champanhe que trouxe para sua despedida do Rio.

Num sofá, do lado direito, estavam Arthur Verocai, Mosquito, Maria Gadu, Márcia Castro, Tom Veloso, Zeca e o compositor César Mendes. Todos cantavam *Nervos de aço*, de Lupicínio Rodrigues, o que atraiu um grupo de desgarrados vindos da parte mais badalada da festa.

De repente, ele chegou. E era um tipo de eco que, como um soco, atingiu os quatro cantos do apartamento. Discreto, Jorge estava em cena. O alquimista verdadeiro estava entre nós, mortais. E nem o anúncio de *habemus papam* em meio ao misterioso conclave do Vaticano teria uma aura tão religiosa quanto presenciar Jorge Ben Jor trazendo seu violão sem capa debaixo do braço e mandando salves e bênçãos pra rapaziada.

Sem dizer muito — apenas sorrindo abertamente para todos que o abordavam —, Jorge começou um *show* de tamanha beleza que eu não conseguia me conformar com a existência de um mundo com tamanho privilégio para tão poucos. Começou com *W/Brasil* e já foi emendando com um *pot-pourri* terrorista: *Filho maravilha*, *País tropical* e *O homem da gravata florida*.

Quando todos já não esperavam mais nada, Caetano se levanta do sofá e solta a voz com a primeira frase de *Ive Brussel*, dueto mais explosivo cantado pela dupla Ben Jor/Veloso que, junto com os bailes de Tim Maia na zona norte, definiu de forma sacramentada o suingado carioca dos anos 1980.

Antes do fim, Carminho esculachou. Pediu licença, parou serenamente na roda, fechou os olhos e cantou *Nas pedras da minha rua*, destroçando de uma vez por todas quem ainda resistia. Diogo Clemente, vulgo Cramunhão, como é conhecido nos círculos de fado em Lisboa, encarnou um cigano do Alentejo ao se impor — completamente obstinado — diante da emoção provocada pelo seu violão junto da voz poderosa de Carminho. Já ouvi da boca de muito velho português imigrante do bairro Alto — principalmente os donos de botequim no Rio — de que este é o fado que mais sintetiza um coração afoito, desesperado.

"Daqueles que nem noite resolve."

30.

Quando me encontrava esgotado pelo excesso de tanta noite e de tanto dia pela zona sul, eu pedia folga de dois dias no Beco das Garrafas para me esconder no Morro do Banco, na zona oeste. Pai Josino era quem me recebia. Sob suas orientações, eu ficava lá, numa mesa de frente pra mata. E de tanto que eu gastava meu tempo naquele canto, Pai Zino acabou me autorizando a colar coisas na parede. Tinha de tudo: uma identidade emitida em Campo Grande em 1992, duas fotos de Elis Regina, um retrato de Paulo Moura em Porto Alegre, a capa do *A Bad Donato*, uma série de gravuras de Hokusai, o símbolo da *Missa dos quilombos* e um desenho com três índias guarani do Mato Grosso do Sul.

O mais estranho para mim eram as fotos tiradas em 6 de agosto de 1999, quase um ano depois da minha chegada ao Japão pela primeira vez. Nesse dia, feriado na cidade, os japoneses organizam uma série de homenagens para lembrar as vítimas do atentado norte-americano que matou quase 245 mil pessoas em Hiroshima.

Danilo "Japa" Nuha

E no dia em que as fotos foram tiradas eu vivia minha fase com 98 quilos de pura química. Em vários desses registros eu apareço com dois dedos enfaixados. No dia anterior, eu quase os perdi ao tentar separar uma peça de alcatra e picanha — a temperatura batia dois graus negativos naquela tarde e, por causa do cheiro de carne podre, nós tínhamos que fazer todo o trampo do lado de fora.

A cada manhã, Marcelo Barba Ruiva e eu conseguíamos revolver até meia tonelada de carne. Ligávamos o som no talo e era uma facada atrás da outra. Ao longo da carniceira íamos acumulando sangue na cara, gordura endurecida nos cabelos e centenas de quilos de carne que aprontávamos para consumo ao longo do expediente no chão contaminado do depósito do Onoda.

Nessa época, a gente ouvia muito Lou Reed dos anos de Velvet Underground. Seria desnecessário dizer que a cada canoa queimada, *Heroin* era a música que tocava mais alto nas caixas japonesas de alta pressão que a gente tinha no açougue.

Enquanto debulhávamos peças inteiras de carne encharcada pelo sangue vazado na longa viagem do navio que fazia o trecho Uruguai- -Japão, também ouvíamos muito Cazuza, Racionais e Rolling Stones. Mas nada era tão parecido com aquele ambiente cristalizado do que a nossa própria trilha sonora do caos, que incluía Ratos de Porão e Sepultura.

E foi ao som deles que fiz o corte que resultou em sete pontos no dedão esquerdo e quatro no indicador, ao tentar realizar uma tarefa que seria muito simples se não fosse o fato de que eu já tinha fumado quatro barcas de cristal antes mesmo das dez da manhã.

No açougue, quando tínhamos apenas um cana de guarita, tam- bém era nosso costume usar a modalidade de ingestão número quatro, que é muito diferente da canoa de alumínio, do cheiro e do pico, mas tão eficiente quanto todas elas.

Esse tipo de degustação a gente apelidou de Thomas Edison. Antes de trabalhar, um de nós era escalado para passar numa loja de

conveniência e comprar três lâmpadas amarelas. Barba Ruiva cortava com uma serra de alta precisão a parte da ponta de metal e ficávamos somente com a lâmpada vazia, sem miolo, sem polos. Colocávamos uma pedra de cristal no fundo e, assim como na canoa, era preciso queimar a pedrinha e ir balançando a lâmpada como os entendidos fazem com uma taça de vinho antes de beber. O suingue da coisa faz a pedrinha entrar em estado líquido. Como num milagre da ciência, o efeito químico explode numa fumaça branca e grossa que a gente puxava com o maior tesão do mundo.

Quando disputávamos os Jogos de Inverno do Japão na modalidade Thomas Edison, chegávamos ao céu em poucos segundos. Bastavam cinco baforadas na lâmpada do Aladin e o Dionísio entrava na festa.

Ainda me pego na dúvida sobre como conseguimos sobreviver naquele muquifo em Hiroshima, intoxicados pelo saquê quente de forno micro-ondas que bebíamos o dia inteiro junto com cristal, cobertos de sangue, ouvindo Led Zeppelin no último e dando facada sem controle em boi que já morreu.

31.

Domenico, o obcecado líder das rinhas de *pit bull* da Saint Roman e dono do restaurante italiano ao lado do Beco, era sobrinho do bicheiro que popularizou a palavra *contravenção* no Brasil. Durante anos, ela era repetida exaustivamente no Jornal Nacional, sempre acompanhada de um nome que já foi um dos mais temidos do Rio de Janeiro: Astor Maldade.

Antes de se tornar responsável pela própria quadrilha, Domenico, garoto fortão de academia no Leblon, fez a segurança do tio durante mais de dez anos. Nesse tempo, aproveitou tudo que pôde para aprender o que existe de mais sofisticado no mundo dos criminosos de colarinho-branco. Logo se tornou um dos preferidos do Astor, passando a acompanhar o tio até nos camarotes mais acarpetados da Sapucaí.

O bicheiro tinha como melhor amigo um poderoso político, ex-presidente do Senado, dono de afiliadas da TV Globo no Nordeste e latifundiário: Renan Cavalheiro, o homem que mandava mais que presidente. Acima dele só houve dois: Sarney e ACM. Metade do Congresso e do Senado comia e lambia na mão porca do Renan.

Maldade era um bicheiro à moda antiga, presidente de time de futebol da zona norte e padrinho de escola de samba do grupo A. Jamais permitiu que alguém de suas inúmeras facções espalhadas por todo o estado do Rio de Janeiro entrasse no comércio e no tráfico de drogas. O máximo de modernidade que incorporou a seus negócios foram os caça-níqueis e as máquinas de videopôquer. Maldade protagonizou algumas das melhores histórias até hoje presentes no livro de memórias da bandidagem carioca.

Carro importado sempre foi uma das paixões mais devastadoras de sua vida, e ele nunca deixava de comparecer aos salões de automóveis mais famosos do mundo. Um tradicional provérbio árabe diz que o abismo também corre na boca do amor. Foi o que pegou o "patrão". Foragido da polícia federal havia quase seis anos, Maldade deixou a casa em que estava escondido no ponto mais alto de Campos do Jordão e foi matar a saudade de ver suas "crianças" no Salão do Automóvel de São Paulo. Usando uma bizarra peruca preta e um bigode mais estranho ainda, que tampava toda sua boca, Maldade foi preso quando, de olhos fechados, acariciava o volante de uma potente BMW preta com uma *panicat* do lado.

Inconformado com a situação da carceragem da Polinter — segundo o bicheiro, degradante —, ligou para seus assessores mais próximos e fez uma verdadeira revolução. Contratou um arquiteto carioca famoso entre celebridades globais e transformou todas as celas em suítes de hotel de luxo, com ar-condicionado, frigobar, televisão e DVD. O autor do projeto também trabalhava como atração fixa de um programa de TV que repaginava casas de famílias que tivessem a história mais dramática a ser contada no Home Sweet Home, exibido aos sábados na emissora a que Renan era afiliado.

Assim que a obra ficou pronta, Maldade começou a organizar as melhores festas já vistas numa prisão, movimentadas a uísque, champanhe, cerveja, churrasco, camarão, lagosta e caviar. Mas o melhor mesmo veio pouco antes do *habeas corpus* especial concedido pelo STF. Numa atitude espetacular, Maldade comprou três Mercedes para serem transformadas em viaturas. "Essa vai ser a primeira delegacia com frota de carro importado em todo o Brasil. Não perderemos nenhuma ocorrência por falta de velocidade!", disse ele, sendo aplaudido em seu inflamado discurso de despedida para presos e policiais na última grande festa de gala na Polinter.

Imagine do que era capaz a dupla Maldade e Renan. Os dois costumavam trocar várias delicadezas entre si. Maldade era tarado, e sempre era chamado por Renan à matriz da TV no Rio quando tinha alguma escolha de elenco. Graças ao amigo, Maldade comeu pelo menos umas cinco gerações de namoradinhas do Brasil em centenas de testes de sofá. Sem falar também nas mulatas do Sargentelli, nas chacretes e nas bailarinas do Faustão que também conseguia comer com muita destreza, usando diferentes formas de pressão em cima de quem tinha o rabo preso com ele na Globo.

Em contrapartida, Renan era do tipo de sádico que adorava assistir assassinatos e torturas. Foi um dos psicopatas com carteirinha de sócio-financiador do DOPS e do DOI-CODI, amigo íntimo do General Ustra e frequentador fanático de sessões de tortura. Mas, com o fim da ditadura, Renan contava somente com os desafortunados que aprontassem qualquer tipo de crocodilagem nos negócios de Maldade. E quando isso acontecia, a diversão principal da dupla era chamar três milicianos e levar o acusado em condução coercitiva para dar uma volta na embarcação de 120 pés que Renan tinha na Marina da Glória.

Depois de três horas de viagem sorvendo doses de uísque com cocaína escama de peixe safra ouro da conexão Medellín-Rio, Maldade parava num ponto em alto-mar próximo a Angra dos Reis e mandava jogar o sujeito na água. Durante algum tempo, a tripulação ficava assistindo — de binóculos — a agonia do náufrago ao som de Frank Sinatra enquanto degustavam um puro malte. Depois,

deixavam o corpo abandonado sob um sol escaldante, com a companhia somente dos urubus, que já começavam a sobrevoar a única presa solta na imensidão.

Nesse ambiente, Domenico foi criado. E antes de assistir à minha primeira rinha de *pit bull*, eu já o conhecia do La Ravena, um restaurante na rua Duvivier, ao lado do Beco das Garrafas, do qual ele era proprietário. Numa tarde qualquer, quando eu estava sozinho, Domenico entrou perguntando se eu tinha alguns CDs de Bossa Nova para indicar. "Quero deixar tocando no restaurante", justificou ele.

Como eu ainda não o conhecia e, querendo fazer uma política da boa vizinhança, sugeri que comprasse um Ipod e eu faria uma programação especial para tocar no restaurante.

"Tudo certo! Se você fizer isso, te pago 200 reais."

Com o Ipod na mão, fui pra casa e fiquei quase oito horas escolhendo cuidadosamente cada música que ia entrar no repertório. No dia seguinte, fui todo feliz ao restaurante, pensando no duzentão extra que receberia. Mas, quando me viu, Domenico mandou aquela de quem está ocupado e pediu ao segurança que viesse falar comigo. Não acreditei quando o grandão de terno e gravata praticamente arrancou o Ipod da minha mão: "Aí, *brother*, agora rala daqui que o restaurante tá cheio". A voz de pato rouco do careca bombado dizendo pra eu meter o pé foi realmente muito foda de ouvir. Com tanto homem-bomba bem disposto na quebrada, o Domenico — mesmo mafioso — não podia subestimar o poder paralelo de um *kamiquase*. Ainda mais depois que Pablo Escobar ensinou ao mundo que dinamite é a bomba atômica dos pobres.

Revoltado, passei o restante do tempo pensando em jogar um coquetel molotov no restaurante ou colocar uma bomba-relógio no carro dele. Continuei pensando numa saída bélica quando João Donato apareceu no Beco. Trouxe um ingresso e acabou sendo a peça fundamental para o desfecho da treta.

"Olha só, japonês, dentro de duas horas vou fazer um *show* na Sala Baden Powell, aqui pertinho, na Nossa Senhora de Copacabana. E como eu acabei de passar o som, ainda tenho um tempo de folga. Tá a fim de ir ali no Cervantes, comer alguma coisa? Depois a gente vai direto pro *show*."

Acompanhado de Luiz Alves no baixo; e Robertinho Silva na bateria, João teve ainda a participação de Emílio Santiago, intérprete definitivo de algumas das canções mais emblemáticas de Donato em parceria com seu irmão, Lysias "Gênio", como *Vento no canavial*, *Até quem sabe* e *Mentiras*.

Ao fim do *show*, após uma longa sessão de autógrafos, Donato me convidou para voltar ao Cervantes, dessa vez com todos que trabalharam no concerto. Papo vai, papo vem, até que ele pergunta se eu tinha plantão para tirar no dia seguinte. Emílio, que estava sentado ao lado dele, escuta a conversa sobre o Beco das Garrafas e entra no bonde:

"Um dos meus restaurantes preferidos aqui no Rio é aquele que fica ao lado do Beco", contou ele pra mesa.

Já de porre com as mais de dez tulipas que tinha encarado na noite, perguntei:

"Você já prestou atenção na música que toca no restaurante?".

"É claro que sim! Domenico é meu amigo, fez uma seleção alto nível! Inclusive, esse é outro motivo pra ir lá: a música é maravilhosa!"

"Que bom que você gostou. Então vou te contar uma: o Domenico disse que me pagaria 200 reais pra escolher aquele repertório. Trabalhei pra caralho nessa porra e até hoje o safado nem me agradeceu. Parou até de me cumprimentar na rua."

Emílio escutou a conversa toda e não disse nada. No dia seguinte, quando eu passava a vassoura na calçada, vejo Domenico atravessando a rua em minha direção, vermelho, bufando:

"Porra, moleque, você tá maluco? Foi contar pro Emílio Santiago que eu tô te devendo, seu bosta?".

"Ué, caralho! Mas você não tá, porra?"

Domenico olhou, murmurou uma palavra qualquer, jogou duas notas de cem no chão e foi embora. Imediatamente me senti cheio de moral, e foi só ele virar as costas pra eu começar a falar como se fosse o Ice Blue:

"Aí, *boy*, sai andando aí, certo? Eu tenho todos os motivos, mas nem por isso eu vou te bater, morou? Vai, caminha, mano! Não tem mais nada pra você aqui não, seu otário!".

Mal sabia eu que, a partir daquele momento, passei a correr sério risco de morte. Naqueles dias, eu não tinha a menor ideia de que Domenico era sobrinho de Astor Maldade, amigo do carniceiro Renan *Cavalheiro*. E eu também jamais poderia imaginar o tipo de bandido que Domenico era, com aquele jeito *nerd* de seriado e as camisas coloridas (geralmente roxas ou rosas) que sempre usava, trazendo no peito um escandaloso jogador de polo do tamanho de uma jaca.

Quando finalmente descobri tudo, ao ver Domenico transtornado numa rinha de *pit bull*, nunca mais fui o mesmo. Desde então, esporadicamente, fico todo cagado só de pensar que qualquer dia desses posso ser raptado e virar o próximo convidado do *show* de horror dirigido ao vivo por Astor Maldade e Renan *Cavalheiro* no mar azul de Angra.

32.

Na paranoia delirante do despejo iminente passávamos nossos dias. Não bastassem os últimos acontecimentos, ainda nos chega a notícia de que a República dos Compays teria somente mais três meses de vida. Ou renovávamos o contrato com 30% de ajuste — ano de Copa do Mundo, dizia a imobiliária — ou rua.

Depois de cinco tentativas frustradas — *Caldeira do diabo*, *Papelão nosso de cada dia*, *Diário de um dekassegui*, *Diário de um jornaleiro* e *Barril de pólvora* —, nunca mais escrevi nada de forma organizada. Hoje, relendo alguns desses originais, me assombra saber que ainda não tenho nem o Mobral.

Passadas as ambições que nos arrebatam quando mais jovens, chegou o momento em que finalmente tive consciência de que a literatura estava muito distante. Nunca mais levei a sério qualquer coisa que fosse relacionada à escrita, principalmente a minha. As poucas vezes em que escrevia no computador eram na casa de Pai Zino, que tinha um HP de mesa com um teclado tão bom de tocar que eu me sentia como um pianista deslizando sobre as teclas de um

Steinway legítimo. E era só eu me aborrecer com alguma situação — como os inúmeros despejos — que eu dava um jeito de cair naquele canto da cidade.

Me lembro que, na parede ao lado de onde eu escrevia, tinha uma foto de Caetano junto com Milton na varanda de sua antiga casa no Itanhangá, zona oeste do Rio. Nessa época, eles gravavam juntos a trilha do filme *O Coronel e o Lobisomem*. E sempre que eu olhava pra eles, eles também estavam me olhando. Na foto, pelo sorriso de ambos, era como se um dissesse pro outro: "Olha aí, bicho, e esse Japa? Qual será a cagada que ele vai fazer agora?".

Isso, ninguém sabia. Pois a única coisa que me trazia preocupação naquele momento era em como tocar meu piano conforme a música.

Na era dos extremos, não é qualquer um que vive de canções.

33.

Pétalas de Fogo era o nome de uma banda formada apenas por meninas que tocava toda quinta-feira no Komuna, em Botafogo. A primeira vez em que eu ouvi falar do Pétalas foi por meio do Xico Sá, que também costumava aparecer de vez em quando, sempre acompanhado de um séquito de leitoras, de todos os tipos, de todas as idades, raças, profissões e opções sexuais. Xico é o caneta preferido de toda e qualquer alma feminina que gosta de literatura e frequenta boteco. Diante de sua mesa, forrada com beldades, eu via aquele mar de impossibilidades em torno de mim e pensava: "Quando crescer, eu quero ser que nem o Xico Sá".

Flávia, tecladista e *backing* vocal, era o principal motivo para eu não deixar de ver o Pétalas toda semana. Desde quando Xico nos apresentou, eu imediatamente criei uma verdade absoluta na qual nunca mais deixei de acreditar: não existe, no mundo, ninguém como ela. Flávia arruinou tudo em menos de um minuto. Nenhum dos sete buracos escapou de ser destruído pela sua mais simples presença, segurando um copo de vodca.

Por ela, sou capaz de lamber trilho sob o sol de Corumbá. Ao mesmo tempo, sempre soube que minhas chances terminavam a partir do momento em que: quem escolhe são elas.

Quando não estava nos palcos, Flávia era modelo. Muita coisa pra uma pessoa só. O ser mais sensual das Laranjeiras. Estudou artes plásticas e foi aluna do mestre João Fera, pivô dos Paralamas. Cantando também era foda.

Procurei por ela no Facebook e consegui ver várias fotos junto do ex-namorado: Cauã Reymond. Foi então que o lado sensato da minha consciência falou mais alto: "Esquece isso, ladrão. Motorista de bicicleta paraguaia nunca vai pilotar foguete russo". Mesmo assim marquei pesado, fiz de tudo para superar as expectativas geradas em torno de um jogador fodido e mal pago da quinta divisão sul-mato-grossense. Numa última tentativa — considerada ridícula por ela — peguei um disco do Milton e, no encarte, coloquei um bilhetinho, todo azul. Com meus garranchos, indiquei *Nuvem cigana*. A resposta não poderia ter sido mais ironicamente devastadora: "Cara, para com isso. Que breguice! Tô morrendo de rir aqui com você. '*Deixar o coração bater sem medo*'... É bem complicado! rs... né?".

34.

Kyuban Danchi é o condomínio de *dekasseguis* mais famoso do Japão. Vagabundos diversificados ocupam o mesmo espaço onde vivem trabalhadores braçais do mundo inteiro. Quando morei lá, em 1998, uma das atividades preferidas da maloqueirada brasileira durante o inverno era fazer fogueira na rua — tudo que a gente topava pela frente era jogado num daqueles tambores grandes de óleo que a gente só vê no cinema. Em nosso clube, os membros tinham apenas três opções: beber o uísque gasolina mais barato da Suntory, fumar haxixe e pensar no Brasil. Nossa conversa era dominada pela imaginação de pensar naqueles camaradinhas da rua, no clima da escola, dos namoros e das traquinagens.

Enquanto isso, estávamos ali, no fogo, encarando o vento gelado, tendo como único consolo a vista privilegiada do presídio formado pelos nove edifícios do Kyuban e seus muitos andares de ilusão.

Os pensamentos gerados pela saudade e pela impotência de estar longe dominavam tudo. Nessas horas, usávamos outro tipo

de adrenalina para compensar a inércia: Bodão, Perereca e Juninho Devassa sabiam abrir qualquer automóvel. Naquele tempo, ainda não havia carros com fechadura eletrônica por código. O objetivo não era ganhar dinheiro com aquilo, nós queríamos somente experimentar o maquinário nipônico. A presa mais comum era quem estava de visita pelo Kyuban e deixava o carro estacionado nas ruas em volta. Não custa ressaltar: tínhamos uma ética de rua, sim. Nossos alvos preferidos sempre foram os turbinados da turma ostentação. Era só um desses estacionar que a gente logo abandonava o fogo, abria o carro e saía em disparada rumo ao centrão de Nagoya.

Entre os modelos que a gente mais gostava estavam maravilhas do mundo moderno, como o pesadão Skyline GTR, o Nissan 180SX, o Silvia S15 e a Toyota Chaser, todos com força de foguete, suspensão de Fórmula 1, embreagem preparada e uma comitiva com 450 cavalos de potência, suficiente para explodir uma cidade. Na rua, esse tipo de moleque usava corrente de ouro, aba reta, Nike e camisa da NBA, ainda que, dentro da fábrica, todo mundo se emporcalhasse na mesma graxa.

Bodão e sua matilha de surfistas cuspiam em qualquer coisa que envolvesse pátria, trabalho, aparência, moda e família coxinha. Sendo assim, odiavam aquele estereótipo.

Esse tipo de otário não fazia parte de nenhum movimento marginal organizado, apenas cometia pequenos delitos esporadicamente. Para impor respeito dentro da comunidade, e também para levantar algum dinheiro quando ficavam sem trabalho, costumavam roubar supermercados, pequenos comércios e conveniências. A verdadeira paixão deles era somente esbanjar os ienes que ganhavam e desfilar com os carrões no gueto. Nessas horas, ninguém se lembrava da luta corporal travada dia após dia na boca de um forno cuspindo lava na Suzuki.

Essa fase mais suja de Nagoya durou somente o ano de 1998. Com a mudança de cidade, perdemos contato com todos os grupos dessa área. Bodão, numa subida meteórica, passou para o comando da província de Shizuoka, onde estavam as praias.

Uma vez na guerra, sempre na guerra.

35.

Só fui entender um pouco mais da sensação sofrida com as sequelas deixadas por um incêndio quando li a história de João Antônio. O escritor paulistano, criado no Morro da Geada, teve sua casa consumida pelo fogo quando estava quase finalizando os originais do clássico *Malagueta, Perus e Bacanaço*, também destruído no incêndio. O livro, ganhador de dois prêmios Jabuti, escrito quando o autor tinha apenas vinte e seis anos, só pôde ser publicado porque ele costumava enviar grande parte do que escrevia para apreciação de várias pessoas na medida em que os capítulos ficavam prontos.

Outra coisa que ajudou muito o escritor no processo de recuperação do *Malagueta* foi sua técnica de "escrever por música", como ele mesmo costumava definir sua arte. Cada palavra, frase e parágrafo escritos por João Antônio eram lidos seguidamente em voz alta, até que tudo estivesse "soando como música". Esse processo permitiu ao escritor decorar trechos inteiros do livro que ainda permaneciam inéditos antes da tragédia.

O sofrimento causado pelo incêndio perseguiu João Antônio até a morte. Em vários de seus textos o escritor descreve o impacto de ter visto sua história virar carvão da noite para o dia.

Tão devastador quanto um incêndio é ter que abandonar tudo na fuga. A minha primeira, e mais marcante, foi em 2001. Tudo aconteceu após treze meses isolado entre plantações de arroz numa fábrica de eletrônicos, em Homihachiman, na província de Shiga, região oeste do Japão.

Como havia estragado toda uma produção de aparelhos de fax para provocar uma demissão, os seguranças da fábrica não me permitiram entrar no quarto onde morava, no segundo andar do alojamento 5. Pude levar apenas uma bagagem quase vazia que me foi entregue por eles assim que coloquei a cara na rua. Sem rumo, abri pela primeira vez a mala na estação. Foi quando percebi que os sacanas fizeram um serviço completo, profissional e sofisticado: meus três uniformes encardidos de graxa que usei naquela temporada foram as únicas peças colocadas na mala.

Ainda permanece muito viva a imagem do meu embarque em Nagoya, vestido com a farda dos anos no *front*. No aeroporto de Guarulhos, depois de quase quarenta horas de voo num enlatado da Korean Airlines, desci no Brasil com a mesma roupa com que deixei a fábrica. Banho, toalha, roupa limpa, cama e, principalmente, dignidade já não faziam parte do texto.

Naquele quarto de Homihachiman, onde os guardas não me deixaram entrar, ficaram livros, discos, objetos pessoais, cadernos, diários, fotos e todas as lembranças preservadas em três anos de pena. Foi meu primeiro "incêndio".

Depois de abandonar tudo numa fuga, a impressão eterna é de que algo vai aparecer um dia. É mais ou menos como quando alguém morre e nunca se acha o corpo. Na maioria dos casos, familiares passam anos acreditando na volta, pois nunca viram nada que pudesse comprovar materialmente a morte.

Alguns companheiros de fábrica com quem me comuniquei por carta quando voltei para o Brasil disseram que meu quarto foi depenado por uma tropa de operários chineses que tinha acabado de chegar ao Japão para substituir trabalhadores brasileiros. Tal medida havia sido tomada em várias fábricas do parque industrial japonês, porque a mão de obra da América Latina era muito mais cara (indisciplinada e baderneira) do que a dos escravos raptados pela máfia das empreiteiras em lugares miseráveis da China e nos países pobres da baixa Ásia. Isso era apenas uma parte da herança deixada pela crise econômica que quase arruinou o país ao longo dos anos 2000. Milhares de *dekasseguis* debandaram mundo afora, sem visto, sem perspectiva e quase sem nenhum dinheiro no bolso. Apenas o passaporte.

Um batalhão de derrotados, diziam sempre, sem levar em conta que tínhamos um único e raríssimo dom: tocar o foda-se e seguir em frente.

Ainda passei por outros dois "incêndios" depois de Shiga. Um deles em 2008, quando Bodão e eu desativamos a boca na praia de Washizu. Na fuga, ainda consegui levar tudo que tinha no motor do Bodão, uma Pajero preta mexida por um mecânico de *drift*.

Enquanto tivemos nossa fonte de renda complementada por intervenções de tráfico e contrabando, eu gastava praticamente tudo em música, literatura, *shows* caros no Blue Note, pôsteres e uma variedade considerável de arte de rua comprada em Bali, Vietnã, Camboja e Tailândia. Na tentativa de suprir o elo perdido, muitas das coisas que eu comprava eram as mesmas que já fizeram parte do acervo abandonado no Alojamento 5, em Shiga.

E para que o raio não caísse duas vezes no mesmo lugar, convenci Bodão a levar a carga do resgate para o apartamento do meu ex-chefe no *Brasil Shimbun* em Tokyo: Osny Arashiro, "El Viejo Safado".

Bodão e eu embarcamos de madrugada numa das mais modernas pistas de alta velocidade do mundo, a chamada Kosoku Doru, ou "la rabiosa". Aquela viagem maníaca entre Hamamatsu e Tokyo foi a última vez em que estive com Bodão. E, como não poderia deixar de ser, produzimos o banquete completo para uma despedida épica: cristal, *skunk*, Kirin Gold e muito saquê quente pra adoçar a estrada.

Em nossa viagem derradeira pela terra de Kawabata, optamos por um roteiro que fosse, antes de tudo, sentimental. No caminho até Tokyo, elegemos Nagoya e Osaka para dar adeus à noite japa que tanto amávamos e, aproveitando a passagem, agradecer aos aliados. Em Nagoya, caímos direto no Urbana. O som da banda Via Brasil — com Marcelo "Tatuí" Kimura tocando seu habitual terror na guitarra — era o tom mais apropriado para encerrar nosso ciclo na primeira cidade da tríplice coroa do delírio samurai.

Dentro do bar, os únicos que pareciam não se preocupar com o futuro eram Bodão e eu. Robson, o incrível e habilidoso garçom sem braço, Yukari, a recepcionista, e todos os demais parceiros que trabalhavam no Urbana passaram a noite toda com cara de velório. A princípio, pensei que poderia ser alguma conta não paga, ou um mal-entendido qualquer de botequim. Mas, na verdade, o que todos ali estavam sentindo era o pior tipo de pressentimento.

Nossa festa de despedida no Urbana foi tão exagerada, que na manhã seguinte não tínhamos nenhuma ideia de onde havíamos deixado o carro com minhas coisas dentro. Ficamos até meio-dia jogados numa calçada, fumando e esperando que o "envenenado" caísse do céu. O fantasma do incêndio rondava novamente.

36.

No começo da viagem, quando entramos em Nagoya, passamos no Kyuban e o martelo foi batido com o primeiro traficante iraniano que cruzei no plantão. Já com a parada no bolso, fui aconselhado a não irmos de carro até o Urbana:

"Acabaram de assaltar uma conveniência aqui perto e a polícia tá parando todo mundo com cara de *gaijin* (estrangeiro). E essa conta caiu para o lado de vocês, pois a caixa jura que eram dois brasileiros".

Completamente acelerados pela primeira paulada no cristal, deixamos o carro numa rua em volta do condomínio e partimos de trem para o Urbana. Muito saquê — assim como vodca — causa amnésia, isso todo mundo sabe. Agora, confusão mental mesmo é usar cristal, saquê, muita cerveja Sapporo e ainda fumar haxixe na tentativa inútil de reverter o irreversível. Resultado: quando saímos do Urbana, pela manhã, nem imaginávamos onde estava o carro. Em total desespero — potencializado pela quantidade de anfetamina — ficamos parados, olhando a esmo, perdidos. Até que uma ligação de Robson, o garçom sem braço, salvou nossa pátria.

"Caralho, bicho, vocês são uns amadores. A Pajero tá aqui, toda arreganhada na frente do Kyuban", disse ele, rindo. "Vocês deixaram o carro estacionado na porta do prédio e foram de trem pro Urbana. Passaram a noite de porre e se esqueceram disso, idiotas."

"Tá loco, mano? E as minhas coisas que estavam dentro?", perguntei, ainda na esperança de ser um trote do Sem Braço, que, assim como metade dos brasileiros de Nagoya, também morava no Kyuban.

"Que coisas, mano? Não tem nada aqui, seu juvenil."

Descemos na correria até a estação de metrô em Fushimi e, de tão loucos, nem percebemos a viagem até o Kyuban. Só acordamos quando o vagão já estava de cara para a plataforma de nosso destino final. Com muito esforço, conseguimos nos arrastar até a entrada do prédio. Robson estava lá, fumando cachimbo, ouvindo *O portão* no último volume e sentado no capô. Foi só ele ver nossa cara pra soltar a primeira gargalhada. Olhamos por fora do carro e estava tudo certo, mas, por dentro, a limpa foi geral. Na frente da Pajero, um tambor de óleo ainda pegava fogo.

Dessa vez era incêndio mesmo. Tomei uma pancada tão grande, que perdi a fala.

Em silêncio, disparamos rumo a Osaka.

Nem o som alto do carro tocando Geraldo Roca, somado ao barulho do motor se impondo pela estrada, conseguia apagar os pensamentos da noite anterior. Quem imaginaria que as táticas empregadas pela vagabundagem de Nagoya no passado ainda eram os mesmos artifícios usados pela juventude do futuro?

Dexter "Oitavo Anjo", poeta que passou onze anos preso — grande parte deste tempo no Carandiru —, costuma dizer que um marginal com procedimento nem precisa apontar o revólver. "O cara chega, troca uma ideia, e pronto."

Mas a coisa anda tão desandada, que neguinho assalta empregada doméstica em ponto de ônibus.

Já vi roubarem muito carro de samurai latino que chegava apavorando no Kyuban, mas jamais jogaríamos uma barca cheia de livros num latão pegando fogo.

37.

Nada representa melhor o Japão de 2008 do que um grupo de três catadores de papelão comendo restos de lixo na entrada principal de Osaka. Quinze anos antes, ninguém veria essa cena na terra do sol nascente. Em Osaka, tentava-se impor uma ordem, mas ninguém respeitava. Além de Sintra, esse também é um belo lugar para se morrer jovem.

Caminhar por qualquer rua do Japão e cruzar com brasileiros era como estar diante de um sobrevivente. Na viagem de carro até a cidade braço forte da Yakuza, passamos pelo perímetro de fábricas mais cabuloso do arquipélago: Toyota-Toyohashi-Kosai-Washizu-Hamamatsu-Yokkaichi-Tsu-Nagoya-Osaka.

Era nítido o som de espadas cortando mãos numa pedra de Nishinari, zona boêmia e território de bandidos chineses e coreanos.

Takafi Kobayashi, o japonês filho da Yakuza e nosso professor, PhD em drogas e contrabando dos tempos da conexão Bali-Tokyo, foi quem nos recebeu em Osaka. Mesmo com a morte fulminante do chefão em 2001, a mãe de Taka continuava morando na mesma

casa de três andares a poucos metros do parque de diversões da Universal Studios. Ter uma casa desse tamanho no Japão é sinônimo de poder, e a família Kobayashi ainda gozava dos privilégios destinados a quem possui cargos de alto escalão dentro da Yakuza. Homens nessas condições geralmente colecionam um batalhão de inimigos. Por causa disso, a mãe de Taka tinha um caderno em que anotava o máximo de informações possíveis sobre cada visitante da casa. Nem a morte do marido fez com que ela perdesse o hábito de registrar nome completo, nacionalidade, características físicas, as refeições que foram servidas, se a pessoa bebe, se fuma etc.

Yo, o melhor amigo de Taka, que tinha acabado de cumprir dez anos pelo assassinato a pauladas de um mafioso de facção rival durante uma briga combinada entre gangues de Namba, fez questão de apresentar a verdadeira face da cidade enquanto comemorava seus primeiros dias na rua. E um dos lugares mais impressionantes que vi na vida só foi possível graças aos caminhos abertos por ele.

Tobita, sub-região de Nishinari, é uma zona de prostituição famosa por ter sido cenário principal da história de Sada Abe, uma ex-prostituta que se envolveu num caso de paixão obsessiva com o chefe de uma propriedade na qual trabalhava como empregada. Sada asfixiou o homem durante uma relação sexual, depois arrancou seu pau junto com os testículos e andou com eles na bolsa. A história foi retratada no filme *Império dos sentidos*, dirigido por Nagisa Oshima. Um dos maiores clássicos do cinema japonês.

A luz amarelada que batia no asfalto molhado guiava nossos caminhos. Aproximadamente vinte ruas formam o bairro, e todos os espaços são milimetricamente divididos por casinhas de prostituição idênticas no formato. Cada uma delas tem cerca de dez metros quadrados distribuídos em dois andares. Na parte de baixo, a mulher fica exposta numa vitrine aberta. Em cima fica a cama onde se paga dez mil ienes por meia hora de programa. Na frente das casinhas fica sempre uma velha que chama os clientes e recebe o dinheiro. O negócio é padronizado e as prostitutas em exposição ficam todas vestidas com algum tema fetiche. Tem gueixa, professora, médica, executiva, personagem de mangá, empregada doméstica e até puta fantasiada de boneca.

As velhas que ficam do lado de fora, arregimentando a clientela, têm um papel fundamental na engrenagem. Nas andanças por Tobita, fiquei intrigado com o fato de que várias delas são muito parecidas com as prostitutas no plantão. Yo, especialista em todas as formas possíveis de atos ilícitos no Japão, disse que a semelhança não era à toa. "Muitas são mães, tias ou parentes das garotas. As velhas, quando se aposentam na putaria, preparam o trono para as sucessoras do ponto — que muitas vezes são da mesma família."

Desde que a zona se consolidou, no fim dos anos 1950, existe um padrão de beleza a ser respeitado. Por isso, quando começam a envelhecer, as mulheres são mandadas para outro bairro próximo, Matsushima. E para quem fica impressionado com o universo paralelo de Tobita, chegar a Matsushima é conhecer o lado mais degradante possível de um puteiro. Os mafiosos que controlam a região decidiram criar um bairro especialmente para dar função às velhas.

A única coisa sobre a qual nunca disfarcei minha modéstia é a quantidade significativa de puteiros pelos quais passei. Em muitos deles, me assustou a situação tanto de putas quanto de clientes. Em Pedro Juan Caballero, Paraguai, fronteira com Ponta Porã, vi uma mulher com mais de sessenta, lotada no furúnculo, curtida até a calvície no cachimbo raivoso de pasta base e, mesmo assim, firme na viração. Não muito diferentes estavam motoristas de caminhão cruzando o Centro-Oeste de ponta a ponta todos os dias do ano, viajantes sem rumo voltando de Machu Picchu, peões de fazenda e uma porrada de nômades brasiguaios que correm o trecho, carregando uma variedade de DSTs fortes o suficiente para surpreender qualquer cientista.

Circunstâncias assim em nada se distanciavam do que vi em Matsushima. Só mesmo a cabeça muito criativa de um líder Yakuza para organizar um pico que abrigasse somente putas velhas e doentes. Em qualquer lugar do mundo, na maioria dos puteiros de baixa renda, existe a mistura de gordas, velhas, feias e, eventualmente, uma gostosa no meio. Mas duvido muito que exista outro buraco como Matsushima, onde a única vista disponível é a decadência. Depois de esgotadas todas as condições físicas para viver do sexo, as velhas, de forma melancólica, retornam para morrer em Tobita, terminando seus dias como cafetinas da nova geração de putas. A função é diferente, mas todo o lucro ainda continua voando direto para o bolso da máfia. Velhas e iniciantes quase sempre ganham porra nenhuma. É a tradicional cadeia alimentar de quem se vira na rua. E é assim que as coisas funcionam no círculo vicioso de Tobita, bairro que vai do auge ao declínio, da beleza à degradação.

Diante desse enredo sujo, ninguém ficava iludido. Matsushima era nossa própria imagem. E como não havia mais nenhuma carga a ser entregue na casa do Viejo Safado, em Tokyo, decidimos encerrar a viagem.

Sem minha bagagem, era impossível seguir do jeito que estávamos: desmoralizados pelo frio extremo, sem dinheiro e sem a mínima força para encarar uma nova jornada.

Três meses depois, recebi um *e-mail* da preta baiana que apontava o bicho praticamente de dentro da casa da minha mãe. Ela dizia que Dona Isabel tinha entrado no quarto onde eu deixava minhas coisas antes de ir pro Japão e, numa espécie de transe sereno, começou a jogar tudo na rua. Recolhido por garis, o material — fotos, fitas cassete, VHS e todos os cadernos, álbuns e anotações com minhas lembranças até os dezesseis anos — foi levado por um caminhão de lixo.

De uma hora para outra, era como se eu tivesse nascido aos vinte e sete. Eu não tinha mais nenhum rastro de memória física. Foram três os incêndios: o alojamento de Homihachiman, o tambor pegando fogo em frente ao carro em Nagoya e, o mais recente, Campo Grande.

Nada mais me pertencia.

38.

(...) Me trouxeram para longe, amarrado na madeira, me bateram com chicote, me xingaram, me feriram. (...) Mas por mais que me naveguem, me levando pelos mares, mas por mais que me maltratem, carne aberta pela faca, a memória vem e salva, a memória vem e guarda. Guarda o cheiro da minha terra, a música do meu povo (...).

(Milton Nascimento e Fernando Brant)

Em Ipanema, há muito tempo expulsaram os passageiros do voo noturno. Quase nenhuma alma perambulando depois da meia-noite em pés-sujos da General Osório ao Jardim de Alah. Proibiram cerveja de garrafa e calaram a *jukebox* do Podrão na Barão da Torre.

Apenas na Maria Quitéria havia certa tolerância com o vapor na calçada frenética do Empório. Roqueiros, gringos e prostitutas no *front* com *pitboys* prontos pra qualquer atrito.

Em Botafogo, especialmente na rua Voluntários da Pátria, o território era de um grupo que, quando completo, causava nunca menos que um arrastão. Otto, Cláudio Assis, Lírio Ferreira, Cafi e Xico Sá. Qualquer botequim vai pro fundo com esse elenco reunido. Além do caos trazido por eles, a mesa sempre ficava rodeada de outra, maior, que crescia cada vez mais, madrugada adentro, até de manhã.

De longe, eu prestava atenção. Um mais desenrolado que o outro. Falação sem trégua na sarjeta úmida da Pátria. Não tinha um filho da puta que não queria ser parte deles. Quase toda maluca que colava também buscava algo: virar personagem de crônica, música, cena de cinema, *post* no Instagram, convite pra motel, qualquer coisa que valesse a pena. Além de muito loucos, os caras eram feios pra caralho, sem exceção. A mina que dá pro Xico Sá tem que ter uma coragem da porra, tá ligado? Apesar disso, não ficava pedra sobre pedra. Quem caía na sobra, como a gente, não levava nem na segundinha dos caras. O mangue passa o rodo geral, pois, naturalmente, cada qual à sua maneira, todos carregam a mesma sina: aquela do vira-lata de raça que anda por aí com o tipo de coisa que somente os cachorros possuem: a porra de um estilo.

39.

Às vezes, no Beco das Garrafas, de dentro da bagunça estragada no MaGriffe, onde passei a morar, lembrava do Almir Sater e do Guilherme Rondon. Imaginava a dupla carregada de erva-mate numa embarcação pelo Mar de Xaráes, com a retaguarda sempre presente dos poetas Paulo Simões e Geraldo Roca.

Nascido em Campo Grande, comprador frequente de cocaína no Porto de Corumbá, eu nunca havia pisado em solo pantaneiro além da praça Generoso Ponce, que fica quase na linha do rio Paraguai. Minhas incursões ao centro do Pantanal se deram apenas com Manoel de Barros e as músicas do matão.

A poeira daquela tarde vinda do trânsito pesado na Nossa Senhora trazia o anúncio do que estava para acontecer. Saí da livraria no fim da tarde e fui beber na galeria da Siquera Campos, a mesma do teatro Thereza Raquel, em Copacabana. Um cara me pediu isqueiro e disse que tinha que fumar rápido, porque precisava voltar. Era o porteiro do teatro. Perguntou de onde eu era e, pra encurtar o papo, disse logo que era do Pantanal.

"Você tá aqui por causa do cara da tua terra que vai tocar no Terezão?", perguntou Seu Jair, antes de emendar: "É aquele violeiro que comia a novinha da novela, a filha do Fagundes, o rei do gado".

Nem precisei pensar duas vezes: é claro que era o Almir Sater.

Sem chegar ao segundo copo, me mandei pro teatro.

Com o lugar ainda vazio, Seu Jair me deixou na cara da sala, e o primeiro que encontrei foi o vendedor de discos da loja oficial do Almir, que chegou pouco antes da produtora, devidamente identificada pelo crachá. Mas de nada adiantou eu mandar aquele papinho de fã que diz pro segurança que é da mesma cidade do artista. Desisti da empreitada de tentar falar com Almir e fui ver o *show* do lugar indicado pelo Seu Jair, um ponto de fuga que existe ao lado da mesa de som.

Logo de cara vi que o espaço seria dividido com mais um. Mal tinha me ajeitado na guia quando percebi que o "mais um" era o ator Roberto Bontempo, amigo de Almir desde a época de Pantanal, novela da modesta Rede Manchete, única emissora na história da TV brasileira que balançou seriamente os alicerces de dramaturgia da golpista Rede Globo.

Devido à impessoalidade (e improviso total) de nossos lugares, começamos a conversa falando da luz do teatro e da proximidade do palco com a plateia. Só faltou comentar a temperatura para os próximos dias no Rio. E, sem que eu nada perguntasse, Bontempo me disse que preferia assistir ao *show* dali mesmo, porque teria que sair mais cedo para tentar uma mesa na Adega Pérola, que tem como hábito não fazer reservas de nenhuma de suas cinco e disputadas mesas.

Como a Adega era um dos lugares preferidos de Almir no Rio, valia a pena o sacrifício de chegar mais cedo e esperar por uma mesa

para agradar ao amigo, me disse Roberto, que, sem escolha por já ter contado o destino do pós-*show*, teve que me convidar.

Os poucos lugares da mesa na Adega ficaram para Almir, Bontempo, o baixista Toninho Porto, o percussionista Papete e eu. Mas minha alegria não durou muito. Tive que levantar por causa da chegada de Bebê Kramer, que tinha colado no pico com sanfona e tudo. A mudança de posição não ficou tão ruim. Do balcão onde estava apoiado, fiquei na mira de inacessíveis morcelas, tremoços, lagostas, camarões VG, lulas, polvos, sardinhas, hadoques e patas negras. Mesmo com a total inacessibilidade culinária, devido aos altos preços na Adega, até que a visão não estava mal.

Duas gaúchas com pouco mais de trinta anos, quase azuis de tão louras — fãs de Almir que o seguiram depois do *show* — estavam paradas bem na minha frente. E não era só isso: o fato de estar na mesa de Almir, mesmo tendo levantado depois da chegada do Kramer, me credenciou com a alcunha real de ser amigo não só do Almir, mas também de todo o elenco. Sem esforço nenhum, remei na onda e mandei a postura de aeroporto. Ali, parado, cheio de fome e tomando chope devagar pra não deixar meu cu na Adega.

A tática de jogo começava a caminhar à medida que meu ataque soviético se fortalecia com as ignoradas de Almir. Elas foram ficando tão loucas com tamanha esnobada que, muito antes do imaginado, vieram falar comigo. E a primeira pergunta, óbvio, foi sobre meu grau de amizade com Almir. O vento soprava a favor. O simples fato de ter nascido em Campo Grande me deu uma série de subsídios para inventar uma forte amizade com ele, incluindo incontáveis expedições pelo Pantanal. Ao mesmo tempo, me bateu uma tão grande que acabei me transformando em ponteiro de comitiva, tocador de berrante e letrista de várias músicas junto com Almir. Meu único problema era a falta de tempo devido ao cargo de "gestor cultural do Beco das Garrafas". Sim, meu amigo, nessas horas você inventa qualquer coisa pra sobreviver no jogo. Sem dar tempo para que elas fizessem o menor aparte, comecei minha tradicional palestra de botequim sobre o assunto que eu mais amava: Jorge Ben, Sérgio Mendes, Elis Regina e uma constelação de monstros nas noites mais quentes vividas no Beco das Garrafas entre 59 e 64.

Minha fala, descordenada pelos goles, mas direta no objetivo, chamou a atenção de Almir: "Gostei disso, índio velho! Me passa o endereço desse lugar aí que amanhã mesmo eu vou lá conhecer", pediu ele. "Aliás, tem outra coisa que eu quero fazer, só que nunca tenho tempo", puxou ele, antes de ajeitar o copo, molhar o verbo e dizer: "o que eu quero mesmo, hoje, meus amigos, é subir um morro".

Às vezes, a sorte se apresenta com tamanha surpresa que ela sozinha não basta. Estar pronto e saber a hora certa de agir nunca serão apenas um mero detalhe na vida de um *ladrão*. À espera da brecha, deixei a preferência para a rapaziada da mesa. Mas, diante da falta de sugestões, perguntei se alguém ali era amigo do Sérgio Ricardo, o compositor. Depois de alguns segundos sem resposta, joguei na roda que era aquele mesmo que quebrou o violão quando se agarrou a uma nuvem negra de vaias no I Festival da TV Record, em 1967, no Maracanãzinho.

"Então, Almir, o Sérgio Ricardo vive no morro do Vidigal há décadas. Todo mundo que você imaginar já subiu a ladeira pra ajudar nos projetos sociais que ele cuida, de Chico Buarque a Jorge Amado, passando por Sócrates e Glauber Rocha. E tem uma vista sinistra lá de cima. Água, morro, praia, movimento. É o lugar ideal pra sacar qual é a parada. Se eu ligar agora, tenho certeza de que ele recebe a gente. Dá pra fazer o maior som, qualquer hora, na casa dele tem um piano foda. E se ele souber que falamos dele aqui, ele manda a gente subir de pronto!"

Diante disso, ninguém poderia ser contra. Quando Almir viu Bebê Kramer colocar sua sanfona num carrinho de feira adaptado,

pediu para que Papete buscasse um *cajón* e que Toninho Porto aproveitasse o pulo no teatro para buscar a viola e mais um violão: "Não podemos deixar o Bebê desprotegido", justificou Almir.

Pedimos a penúltima e paramos dois táxis que desciam a Siqueira Campos.

No caminho, pela orla, lembrei que minha conta de três chopes em três horas de economia extrema foi paga pela mesa do Almir. Quando esse tipo de coisa acontece é inevitável para um fugitivo não pensar na boca-livre perdida. Pai Zino sempre fala: "A malandragem que vale não é aquela pra fazer fita, mas sim aquela pra quem precisa". Em nenhum momento consegui prever que esse seria o fim da conta dolorosa. Mas agora não adianta chorar. Pensar pra frente — pois é necessário contar com uma leitura de jogo sensível e honesta, que pode até resultar em erros ou vacilações, mas, arrependimento, jamais. Surgiu a chance, irmão, eu colo no pensamento do filósofo das Laranjeiras, o Egas Muniz Baster, que diz: "Chega uma hora na vida em que a postura tem que ser de aeroporto. James Bond, pronto pra tudo".

Mas aqui não se vive duas vezes. E o mundo nunca é o bastante: há sempre um novo dia pra morrer. Por isso, postura é fundamental.

De barriga vazia, comecei a pensar, e foi assim até a entrada do Vidigal. Mestre soberano, corpo fechado na quebrada, aquele que vai do céu ao inferno sob o silêncio sagrado dos Dois Irmãos.

Descemos no acesso principal do morro. Eu disse que tínhamos a opção de mandar os instrumentos num táxi e, quem quisesse, poderia subir de moto. "Eu acho a melhor opção. Senão é como ir ao Arpoador em pleno verão e não cair na água. Uma viagem." Almir, Papete e Toninho toparam. Bebê Kramer, sempre um cavalheiro, jamais deixaria sua sanfona sozinha, "ainda mais uma gata de tal nipe", disse ele, antes de puxar o bonde do táxi. Almir e Toninho também foram acompanhados de suas garotas na moto: uma viola de dez cordas e uma legítima seis cordas de Sevilha. Bontempo, que já deve ter feito isso mil vezes, foi de táxi fazer companhia a Bebê e ao *cajón* de Papete.

Quando o táxi subia lentamente com Roberto e Bebê a bordo, apontei o dedo para o chapéu de Almir, que já estava montado numa moto, e gritei: "É MELHOR MANDAR PELO CARRO". Antes de qualquer tentativa para fazer com que o motorista do táxi parasse, ele lançou o chapéu no ar, que foi girando, girando, até cair bruscamente e entrar direto pelo vidro traseiro, certinho, dentro do táxi. A cena de *cowboy* do asfalto provocou aplausos efusivos em uma meia dúzia de bêbados que estava no botequim da frente.

Almir ficou maluco com a subida de moto. "Isso é bom demais, seu moço! Merece até uma moda!"

Sérgio Ricardo nos esperava em frente ao ponto conhecido como Arvrão. A vizinhança estranhou um pouco aquele bando armado de instrumentos, chapéus, botas e, no caso de Almir e Toninho, da indumentária típica pantaneira, com a tradicional faixa amarrada na cintura.

Lá pela sétima garrafa num botequim em volta, Almir foi sozinho até uma espécie de praça-mirante, de onde se consegue ver as praias de Ipanema e do Leblon, além da Lagoa Rodrigo Freitas. Parou num canto, fez um cigarro de palha e mandou fogo na viola. Não demorou muito e todos foram chegando: Toninho com seu violão, Papete no *cajón* e, fechando a roda, Bebê Kramer e sua sanfona.

O coro comeu no Vidigal com o baile da comitiva. Em vez de *funk*, chamamé correntino; e no lugar do pagode, moda de viola.

Em pouco tempo, a roda, que era formada somente por Sérgio, Roberto e eu, logo se transformou numa pequena multidão. O povo chegava de todos os lados. Armaram um círculo em volta e a gente toda se sentou no chão. Com a mesma sapiência do público, logo chegaram os primeiros vendedores de cerveja, como o famoso

Agnaldo e seu isopor lacrado, todo decorado no *silver tape* e armado de Heineken gelada até os dentes. "Não vendo porcaria de milho da ambev", dizia ele, que tinha tudo muito bem montado na Barraforte 89 preta de roda niquelada, vinte e uma marchas — marra carioca e *ray-ban* aviador.

Almir e sua improvisada banda estavam tão imersos naquele acontecimento, no improvável que surgia e, mais ainda, em toda aquela sessão rolando no pico do Arvrão, que nem se deram conta do alvoroço. Tem gente que ainda se lembra, tanto no morro quanto no asfalto: Almir Sater e seu bando no Vidigal.

Desde quando a PM ocupou o morro com a UPP, em 2008, pouca coisa tinha mudado. Quase tudo continuava do mesmo jeito. É o caso de Pretinho Caiçara, o "Dom", como é conhecido na comunidade, ou Dom Pretinho, alcunha oficial que circulava nas altas rodas dos cartéis do Rio. Dom Pretinho mandava no morro havia pelo menos duas décadas.

A guerra das armas, as operações de ocupação e a conquista por meio de conflitos entre facções estavam dando lugar a interesses mais silenciosos e políticos. Mas, no pico do Arvrão, autoridade não era questão de força, e sim, de Dom. Lá, o verbo falado era o dele. Ponto final, sem vírgula.

A esposa de Dom, Dona Vicentina, era fã histérica de telenovelas. Não perdia nenhuma desde a primeira a que assistiu: *Irmãos coragem*. Tinha caderno de anotações, revistas antigas de fofocas, jornais, discos das trilhas sonoras organizados em ordem cronológica, autógrafos de galãs, mocinhas e tudo o mais que era possível acumular de cada novela que acompanhava. Quando soube que Almir Sater, o Pirilampo de *Rei do gado*; o Zé Trovão de Ana Raio e um dos principais galãs do ultrassupersônico sucesso de *Pantanal* estava lá, ficou literalmente alucinada. Mandou a filha Keity Lauren se arrumar e, para delírio das quase 200 pessoas que a essa altura já estavam amontoadas na praça, ordenou que o marido comprasse cerveja e organizasse um churrasco digno para servir aos convidados de fora.

Quando as duas kombis entupidas de cerveja, gelo, carvão e carne encostaram na praça, o povo ficou tudo louco. Os violeiros, tomados pelo som, suavam sem ligar pra lida. Toninho, Bebê Kramer e Papete desciam o cacete enquanto Almir quebrava tudo por dentro da reta que a viola abria.

Keity Lauren era demais. Categoria rara. Linhagem egípcia com o Brasil mais Brasil que existe. Cabelos e olhos pretos, pele dourada. As marcas estavam lá para comprovar. Estamos falando de um fenômeno poucas vezes visto. Diziam no morro que um *playboy* já tinha se matado e que outros dois até mudaram de quebrada.

Ela é o tipo da mina que desde cedo já traumatizava o perímetro.

Não que eu não quisesse. Qualquer um no meu lugar com um pouquinho menos de oportunidade também ia querer. Acontece que ela caiu no lugar certo, na hora errada e no cara não tão certo, mas que queria muito.

Mesmo a molecada local tendo me alertado várias vezes de que Dom Pretinho ficava possuído quando chegavam perto da filha, fiquei completamente descontrolado quando ela me disse que adorava *jazz* e mpb. Mas, quando ela falou que tinha todos os LPs da Elenco, aí eu gozei na calça.

Keity Lauren não era somente lataria. Além da comissão de frente fantástica e a retaguarda inenarrável, tinha também um enorme e oculto conteúdo de que poucos viajantes desfrutaram. E, é claro, aquela ainda não era a minha hora.

Deixei um pouco o lugar onde ela estava com uma prima que servia como vigilante e fui buscar uma cerveja. Nem tinha aberto a lata ainda quando um negão perguntou qual a era a minha: "Bora lá *playboy*, o Dom quer falar contigo".

Milagres acontecem. E antes que eu respondesse, uma patrulha da UPP desceu meio descontrolada e bateu no carro de Dom, que estava completamente mal parado no meio da rua. O negão me esqueceu por alguns segundos e foi lá cobrar a bronca com o policial. Peguei um mototáxi que passava na hora e desci. A viagem de poucos minutos até o asfalto pareceu eterna.

Entrei no primeiro táxi que apareceu na avenida Niemeyer e me mandei pra Copacabana. No dia seguinte, soube por Toninho Porto de todo o acontecido.

Com o meu desaparecimento, Dom Pretinho foi ao centro da roda e mandou parar o som, enquanto seus seguranças tratavam de calar a pequena multidão para que o patrão usasse da palavra:

"Eu sei que a festa tá bonita, inclusive quero aproveitar para agradecer a presença de todos e, principalmente, dos meus amigos violeiros. Uma salva de palmas pra eles! Mas, antes de continuar, eu quero saber quem é o cara que passou a mão na minha filha. Uma coisa eu já sei: ele não é da comunidade, porque sumiu. E a gente só vai sair daqui quando ele aparecer", disse Dom, firme.

De repente, a multidão, que antes curtia empolgada, entrou num silêncio completo.

"Muito bem, vou dar mais uma chance pra que esse sujeito produtor apareça", gritou o coronel, irado.

Novamente todos se calaram. Muitos olhavam pra baixo. Almir e a banda estavam tensos, preocupados com o que pudesse acontecer. Toninho me disse que, entre um silêncio e outro, Almir, mostrando uma certa tensão, perguntou a ele: "Porra Toninho, tô começando a ficar preocupado. Cadê aquele japonês safado que veio com a gente?".

Foi quando Dom Pretinho voltou à palavra mais uma vez:

"Muito bem, senhores, este é meu último aviso: se em cinco minutos esse malandro não aparecer, vou ter que tomar uma medida mais drástica".

Passado o prazo, Dona Vicentina estava muito mais irritada que o marido. E antes que ele voltasse a público para anunciar a medida a ser tomada, se recolheu num canto junto com ela, que passou a apontar o dedo na cara dele como se estivesse cobrando uma atitude final.

Dom Pretinho então subiu novamente no banco da praça e pediu a palavra mais uma vez. Nessa hora, Toninho, Almir, Papete e Bebê Kramer estavam mais aflitos que boi em porta de frigorífico. Bontempo, mesmo um pouco impaciente, era de longe o mais calmo da comitiva. Mas, vindo de Dom Pretinho, tudo é possível, e a palavra era dele:

"Tá certo. Olha só, rapaziada, Dona Vicentina já está aqui muito nervosa com essa festa sem música. Então, já que o cara que passou a mão na minha filha não vai mais aparecer... Ô violeiro!", gritou ele para Almir, "bora aí, caralho! Levanta e toca o baile meu cumpadi!".

40.

As coisas nunca estavam fora de lugar para João Donato. Ele sempre tinha um ritmo certo e o tempo adequado para cada situação. A resposta mora na simplicidade, dizia o mantra de Rio Branco. Se algo de grave o aborrece, naturalmente usa a mesma tática: vem a música e leva tudo. "Vai pra casa e põe um disco, ou, faz um som."

No final do expediente na livraria, sempre que um táxi parava por muito tempo na porta do Beco eu já olhava pra ver se era o Donato circulando na área. Geralmente, quando estava dentro de um táxi e algo o interessava, ele não hesitava em mandar parar. E se outra coisa lhe chamasse atenção, continuava seguindo. A guia é quem manda.

Donato mandou o táxi embora e ficou fumando até eu que eu fechasse a loja. Tranquei a última porta de ferro quando ele falou que queria dar uma volta em Copacabana. "Até ali, na Rainha Elizabeth, perto do Hotel Plaza." Cruzamos a Duvivier e fomos até a Nossa Senhora de Copacabana. Viramos à esquerda e paramos no Sat's. João pediu um galeto e o garçom me trouxe um chope. Victor

Bertrami, baterista e filho do velho Bertrami (mago e idealizador do Azimuth), também passou por lá a caminho de um *show* no Triboz, na Glória. Bebeu quatro tulipas, cada uma num gole só, e se despediu. Disse que estava preocupado com a batera: "Meu foguete tá trancado no carro, em frente à praça do Lido. Não posso dar mole com um Yamaha". "Fica de boa aí, mano. Uma hora dessas teu *set* já deve ter caído por três buchas de vinte no Chapéu Mangueira", falei, mas nisso ele já estava na rua, fingindo alguma brecha para não deixar a gorjeta do Fumaça, que ficou puto: "Deixa ele voltar, esse baleia. Tá ficando cada dia mais tarado. Sabe da última dele aqui com aquele flautista irlandês cachaceiro, o Red?".

Fumaça sempre tinha uma história de alguém. Bastava um virar as costas e ele contava uma pro cara que ficava, e uma do cara que ficava pro outro que entrava, e outra do cara que entrava para o que saía. E assim seguia, jogando.

A noite, lenta do outro lado, jamais fica sem história.

Quem não tem, inventa.

Seguimos. Donato e eu passamos pelo saguão do Hotel Plaza sem sermos percebidos. Na recepção, uma garrafa térmica com café e um prato de biscoitos. Peguei dois copinhos e nos sentamos no sofá de frente para uma TV que passava um amistoso entre Bangu e América. "Eita jogo nojento, ruim que só a porra!", comentou um dos mensageiros, que encheu a mão de biscoitos e puxou o resto do café. "Ô, Negueba, aproveita aí e faz outro!", falou um dos seguranças, que apontou pra gente e continuou: "ou você vai deixar o patrão tomar café passado?". "Tá tranquilo, aqui não tem patrão não. É tudo graxa", respondi. Tentei puxar outro assunto quando João interrompeu: "Na minha época, o piano ficava aqui", disse ele, olhando para um canto do salão. "Eu vivia bastante nessa parte de Copacabana naquele tempo. Me lembro de quando o Johnny Alf era o músico fixo da casa. Foram noites e mais noites...".

Muita gente passou pelo Plaza nos anos 1950. Principalmente quando Johnny Alf tocava lá suas próprias composições, como *Rapaz de bem* e *Céu e mar*, consideradas ultrassofisticadas em relação ao que se fazia na época. Já vi várias vezes o Ruy Castro falando no Bip sobre o que acontecia quando Johnny Alf era o dono das noites no Plaza, entre 1954 e 1955: "Músicos faziam romaria para ouvi--lo: Tom Jobim, João Gilberto, Lúcio Alves, Dick Farney, Dolores Duran, Ed Lincoln, Paulo Moura, Baden Powell, Milton Banana, Luiz Eça, Carlos Lyra, Sylvinha Teles, Candinho, Durval Ferreira, Maurício Einhorn...".

Imaginando toda aquela órbita dos anos 1950, João e eu nos levantamos aos poucos e continuamos a conversa do lado de fora. Na calçada da Rainha Elizabeth um carro branco de luxo parou bem à nossa frente e um coroa cabeludo de *blazer* azul gritou do banco de trás:

"E aí, bicho? Quanto tempo, João? Como vai?".

Olhei direito pro coroa no banco de trás e só então caiu a ficha de quem era: Roberto Carlos, que continuou o papo da janela:

"João, você é meu vizinho de Urca. Sobe aqui, bicho, eu dou uma carona pra vocês!".

Tão rápido quanto o convite foi nossa entrada no carro. Além do motorista, havia também um segurança no banco da frente. Por causa disso, no trajeto de poucos minutos sem trânsito até a Urca, viajei no meio, entre Roberto Carlos e João Donato.

Enquanto eu ainda procurava uma posição que pudesse parecer o mais normal possível, Roberto curvou o corpo pra frente e puxou:

"Que coisa, rapaz, te encontrar parado logo na frente do Hotel Plaza! É muita coincidência!".

"Pois é..."

Por um breve instante, o carro ficou em silêncio. E na entrada da avenida Portugal, quase vazia, Roberto continuou:

"Bicho, você me ajudou muito. O que você fez foi de uma generosidade que eu jamais esqueço. Aquelas noites tocando no Plaza, bem no começo, eu recém-chegado, meio bossa nova, e você com toda paciência...".

"Hotel Plaza..."

"É, rapaz, muita gente me detonava naquele tempo", continuou Roberto. "'Imitador do João Gilberto!', acusavam. E, no meio disso tudo, você aparece lá um dia com o próprio João, sem avisar. Foi inacreditável", lembrou Roberto, soltando sua clássica risada, aquela que poucos costumam ver fora dos *shows* e especiais de fim de ano.

Em frente à casa de Roberto, na avenida Portugal, o Rei perguntou se João gostaria de entrar.

Sem responder com palavras, mas em silêncio consentido, João e eu permanecemos no carro e entramos na garagem com Roberto. Um elevador localizado quase na porta de onde parou o automóvel nos levou até a cobertura, onde ficamos. O terraço era gigantesco. E a vista da Urca, sem palavras. Havia um piano de cauda, alguns violões, troféus de vários tamanhos, cartazes de *shows*, fotos de carreira, uma TV tela curva, um bar, várias mesas e um funcionário devidamente vestido de garçom.

Pedi uma cerveja. Roberto foi de água e João, de suco.

Não passou nem dez minutos entre a saída do Hotel Plaza, o resgate na avenida Rainha Elizabeth e a nossa chegada à Urca. Somente quando desceu o primeiro gole é que tudo ficou mais claro. Tentei ficar o mais à margem possível, afinal, eram Roberto Carlos e João Donato, e o melhor que eu poderia fazer era não abrir minha boca diante daqueles caras. Durante alguns minutos, ficaram todos em silêncio. João foi olhar o piano e Roberto começou a dedilhar alguns de seus violões. O garçom, que assistia a tudo, trouxe petiscos. Aproveitei a deixa e me levantei sem fazer nenhum barulho. Com a voz bem baixa, quase sussurrando, colei no garçom e perguntei a

ele onde ficavam as originais. "Só pra não te incomodar toda hora", justifiquei. "Não se preocupe. Tá vendo aquele *freezer* azul ali? Tá tudo lá! Fique à vontade."

Mais de cinquenta anos depois, a partir de um grande acaso na mesma Copacabana do Hotel Plaza, João Donato e Roberto Carlos revivem a parceira, dessa vez na Urca, sob a sombra das grandes noites e dos mitos intermináveis de um cassino parado no tempo.

Com o copo numa mão e a garrafa trincando na outra, voltei para o meu canto, sem fazer um pio para não correr o risco de ser expulso, ainda que, àquela altura do jogo, eu já pudesse me dar por satisfeito e aceitar o cartão vermelho de bom grado.

Mas é claro que, quanto mais tempo eu ficasse, mais a minha memória guardaria. Por exemplo, quando Roberto escolheu um instrumento e perguntou a João se ele ainda tocava *Só em teus braços*, "como nos tempos de Plaza".

Mal Roberto terminou a pergunta, e a garrafa que eu segurava se espatifou no meio do salão.

Como num filme improvável, João sorriu, deixou o cigarro lentamente no cinzeiro e, tocando de leve o piano, fez a introdução fluir, sublime. Roberto não quis nem esperar a deixa, sorriu de volta e cantou de primeira, sereno e sutil:

Sim, promessas fiz
Fiz projetos, pensei tanta coisa
E agora o coração me diz
Que só em teus braços, meu bem
Eu posso ser feliz...

41.

Lurdinha — oito anos de caixa na Bossa Nova e Cia. — nem fazia mais questão de ouvir minhas histórias. Todos os dias, quando eu chegava com cara de ressaca pela manhã, ela já mandava o mesmo comentário em tom de deboche: "E aí, Japa? A espetacular noite de ontem em Copacabana foi com quem? Paul McCartney, Mick Jagger ou Neymar?".

E como Lurdinha já não acreditava em mais nada, contei apenas a verdade, sem arranjos:

"Quem dera! Ontem fiquei mais tranquilão mesmo, passei com João Donato na casa do Roberto Carlos na Urca, tomei umas três por lá, esperei eles terminarem o som que estavam fazendo no terraço e depois fui pro Bip".

Eram tantas as contradições naqueles dias, que eu também fazia questão de não entender mais nada. Havia oito meses que eu morava

no MaGriffe. O depósito sujo da livraria, que antes era um piano-bar e depois virou puteiro e piano-bar, foi peça atuante nos anos de auge e declínio do Beco. Foi no MaGriffe que Newton Mendonça enfartou certa noite depois de tocar.

E com a República dos Compays desmantelada, nenhum de nós demonstrava qualquer expectativa. Com mais de trinta anos nas costas, ninguém tinha porra nenhuma para se orgulhar, a não ser o fato de estarmos vivos, apenas.

Mas sob hipótese alguma seria justo que, depois de tanta estrada, a gente fosse ficar sempre no acostamento, enquanto um bando de otários com sorte se dá bem à nossa custa.

É claro que as amizades, as noites com Alfredinho no Bip Bip, o dia a dia no Beco das Garrafas, os encontros improváveis no 206 de Ipanema, a vida solta em Copacabana e os companheiros da ex- -República dos Compays significavam muito. Se não fosse por esse grande bem, já teria jogado a toalha, pedido a conta e pendurado as chuteiras há muito tempo.

Isso não acontece também por causa da escolha de amigos fiéis que ainda estão por aí, na fé, firmões, como é o caso do Bandido, único fora da lei que sabia latim, patrão soberano da Cruz do Pilarzinho em Curitiba. Pra motivar a tropa, o polaco mandava recado direto, insistia, dizia pra gente não desisitir. "A busca pelo empate sempre rende. Acredite", dizia ele.

"Isso de querer ser exatamente aquilo que a gente é ainda vai nos levar além."

42.

Trabalho no Beco há anos e nunca sei o que pode entrar por aquela porta.

Duvido que exista algum trabalhador braçal de salário mínimo, sem comissão, que rale oito horas por dia no comércio, que não fique puto ao ver entrar um bicão exatamente na melhor hora do trabalho: a hora de ir embora.

O dono surfista da Bossa Nova e Cia., Bruno Venetilo e sua sócia Leila, ficavam muito de cara quando a loja estava vazia e eu aproveitava pra fumar um no MaGriffe. Naquele dia, dei meu tapa tradicional de boa tarde, Copacabana, e já voltava com os cadeados na mão pra fechar a conta quando um Studebaker preto entrou com tudo e cruzou a Duvivier. "Porra, agora fudeu. Esses comédia aí tão com cara que vão demorar pra caralho", pensei. O primeiro a entrar foi um maluco com dente de ouro na frente, que se apresentou como Balbi Zebu: "Mano, é o seguinte: o Criolo tá ali no carro e se ligou que você tá fechando. Mas ele quer saber se você poderia dar um salve pra um amigo

gringo dele, que veio de longe pra caralho e precisa só de vinte minutos aqui na loja".

Quando o tal do Zebu falou quem era, já devolvi de pronto: "Porra mano, é o Criolo. Manda descer!".

Se a loja ficasse aberta, mais gente entraria e, consequentemente, eu teria mais trabalho. Coloquei os malucos pra dentro e fechei as portas. Além de Balbi Zebu, que mais tarde identifiquei como sendo um dos cabeças da FreakHouse, Criolo também estava com Alexandre Orion, Ise Grapixo e, por último, um gringo esquisito, que entrou, cumprimentou, mas não disse nome nenhum.

O gringo sem nome era realmente muito estranho, mas logo vi que de idiota ele não tinha nada. Já entrou me perguntando qual era a música mais velha criada no Brasil e que ainda hoje podia ser escutada nos bares, nos discos, em *shows*. Entendi o que ele queria: coloquei Pixinguinha pra tocar. Ele mandou descer todos. Perguntou tudo sobre Pixinguinha e ficou admirado quando contei que ele tinha falecido serenamente dentro da igreja Nossa Senhora da Paz quando foi batizar um afilhado em pleno sábado de carnaval, e que a Banda de Ipanema, um dos blocos mais tradicionais do Rio, passou bem na frente da igreja enquanto o Mestre partia para outro plano. Naquele dia, 17 de fevereiro de 1973, caía um temporal no Rio. O gringo ficou louco. Depois mostrei Ernesto Nazareth. Disse que Pixinguinha era motorista de ambulância antes de viver realmente de música, e que Nazareth, já velho, fugiu e morreu sozinho no meio do mato no subúrbio do Rio. Pixinguinha, dirigindo sua ambulância, passou por coincidência no lugar para onde o corpo de Nazareth havia sido recolhido. E, ao reconhecê-lo, um dos enfermeiros disse a Pixinguinha: "Tem um velho aí que acabou de chegar. Foi achado morto. Dizem que é músico e que ele já estava meio maluco. Dá uma olhada lá pra ver se você conhece". Foi então que Pixinguinha reconheceu o corpo do pianista e compositor Ernesto Nazareth.

O gringo pediu pra colocar Ernesto no som. Pirou. Comprou tudo. Queria mais choro: Chiquinha Gonzaga, Anacleto de Medeiros, Luiz Americano, Waldir Azevedo, Jacob do Bandolim. Levou tudo.

"Os novos, eu quero os novos também."

Mandei tudo que tinha: Hamilton de Holanda, Carlos Malta, Silvério Pontes e Zé da Velha, Yamandu Costa, Joel Nascimento, Trio Madeira Brasil.

Falei que ele também tinha que levar alguns discos de bossa nova. "Me conta como é isso? Coloca um disco foda aí pra gente ouvir!" *Getz/Gilberto. Elis e Tom*. O som tava tomando conta, cada vez mais. Criolo, Zebu, Ise e Orion não estavam acreditando.

João Gilberto: "Gostei! Eu quero!". Tom Jobim: "Quero tudo desse cara!".

Mostrei os trios instrumentais brasileiros dos anos áureos do Beco: Bossa Três, Bossa Trio, Tamba Trio, Meirelles e os Copa 5, Jongo Trio, Ed Lincoln, Zimbo Trio. Sérgio Mendes e Bossa Rio. Começou o quebra-quebra na loja. O gringo pirou nos bateristas brasileiros, levou tudo que encontrou de Edison Machado, Milton Banana e Dom Um Romão.

Mostrei *A Bad Donato*. Eumir Deodato. Tim Maia Racional. Airto Moreira. "Me dá mais, eu quero! Põe o som, não deixa parar!"

Moacir Santos: *Coisas*. Paulo Moura: *Confusão Urbana, Suburbana e Rural*: "Eu quero! Põe na conta!"

"Pega esse aqui: *Afrosambas*". Contei do disco: três meses de produção, um saldo etílico de mais de 240 garrafas de uísque Haig's e um disco sobrenatural de Vinicius de Moraes e Baden Powell, que fizeram um total de vinte e cinco músicas naquela temporada.

Pediu tudo de samba. Dei-lhe Cartola, Clara Nunes, João Nogueira, Monarco, Moacyr Luz, Nelson Sargento, Clementina, Elza Soares, Noel, Paulinho da Viola, Zé Keti, Paulo Vanzolini, Bezerra da Silva, Chico Buarque.

"Aí, gringo, você tem que levar também Dorival Caymmi e Luiz Gonzaga!"

"Quem são eles?"

"São seres de grande poder. Caymmi e Gonzaga: duas entidades."

"Manda tudo!"

"Gringo, ouve isso aqui também: *Clube da esquina, Native dancer, Nascimento, Refazenda, Refavela, Transa, Noites do norte, Abraçaço, Acabou chorare.*"

"*No, man!* Que mundo maravilhoso vocês têm! As capas, as caras, as cores! É tudo muito criativo! Nenhum país do mundo tem isso que estou vendo aqui no Rio!", dizia o gringo, com seu inglês de sotaque britânico, suado, incrédulo, pasmado. Criolo e Balbi Zebu continuavam assistindo à cena.

Desci Mutantes, A Cor do Som, O Som Imaginário.

"Olha aqui, gringo: Jorge Benjor. Saca só, você vai ficar maluco nesse cara. *Tábua de esmeraldas*, pode levar que eu garanto!"

"*Crazy people, crazy! Too much crazy amazing, man!*" O gringo estava ficando realmente muito maluco com aquele som todo. Parecia que estava descobrindo outra vida. Mandei Hermeto, mandei Gal, mandei Elis, mandei Bethânia, mandei Maysa, mandei Céu e Mariana Aydar. O gringo ajoelhou no chão. Pediu água, pediu gelo, pediu pra ir ao banheiro, foi tomar um ar do lado de fora, fez alongamento. E os discos se acumulando no caixa. A Lurdinha já estava ficando zonza com tanta velocidade.

Com o som ainda mais alto dentro da loja, retomamos. Tom Zé, Lenine, Chico Science e Nação Zumbi, Alceu Valença, Marisa Monte, Otto, Artur Verocai. *"Fuck crazy Brazil!"*

Sabotagem, Racionais, GOG, RZO.

"Pra mim já chega" — pediu o gringo.

"Calma! Calma, gringo! Calma, que ainda não é a hora. Presta atenção nesse cara aqui: João Bosco."

"Foda demais", respondia ele. "Foda até demais."

"Ah! Você não pode sair daqui sem levar Secos e Molhados. Escuta só."

Ele ficou louco no Ney.

"Cara, me escuta, é melhor a gente parar. Já gastei toda minha energia nisso aqui. Acabaram minhas forças. Nem sei como te agradecer", disse o gringo, estendido no chão. Criolo também achou melhor e, de zueira, passou a régua: "É, mano, pra começar isso aí já tá suave pra ele".

Enquanto Lurdinha fechava com os números, o gringo disse a Balbi Zebu que gostaria de deixar as coisas no hotel. "Onde você está hospedado?", perguntei. Zebu saiu da loja e antes mesmo que o cálculo fosse feito, já estava de volta com um mensageiro do Copacabana Palace, colete preto, sapato brilhando, cartola impecável e luvas brancas.

"A conta total ficou em nove mil e quinhentos reais", informou Lurdinha.

"Cartão de crédito?"

"Money. Just Money" — disse o gringo.

Balbi Zebu me perguntou qual porcentagem eu levaria de comissão. "Nada", respondi.

"Caramba, mano, o maior vendedor de discos do Brasil!", emendou Criolo, "e ele não tem nem comissão. Que pica, hein?" Até o gringo desacreditou quando eu contei que ganhava seiscentos reais registrado em carteira mais duzentos por fora.

"Você é nosso convidado. Hoje é minha última noite no Rio. A gente vai sair por aí e você vai ser nosso guia. Se eu gostar do rolê, no final a gente acerta, beleza?" "Tá todo mundo em casa", respondi.

Não tinha a mínima noção de onde levar os caras. Então mandei uma mensagem pro Fausto Fawcett, que sempre tinha uma na manga.

"Porra, Japa", respondeu ele. "Se despede dos lugares que você gosta."
Então, segue o roteiro:
Descemos a rua Duvivier e na primeira esquina cruzamos com o Ferreira Gullar, que segurava uma sacola de jornais e um guarda-chuva. Criolo e Orion também se ligaram. Ficamos os três em silêncio, viajando na caminhada do poeta pela calçada até a portaria do prédio onde morava há anos, também na Duvivier. "Mano, esse cara tava flutuando, não tava não?", observou Criolo.

Quebramos na esquerda da avenida Nossa Senhora de Copacabana e caímos no Sat's. Galeto, cachaça, chope. A brisa estava a favor. Fumaça estava lá, contando história. Fumaça era foda, puta cara firmeza. Quando queria mandar a gente embora do Sat's por causa do horário, inventava um incêndio na churrasqueira e, com o ventilador secretamente apontado pra gente, mandava um jato de fumaça preta na nossa direção. Só ele mesmo teria criatividade suficiente para desocupar o bar dessa maneira. Daí veio o apelido: Fumaça. Quando algum bêbado de fim de noite quer atrasar o horário dos garçons irem embora, coitado, lá vem o Fumaça e o cara fica todo preto, zuado de carvão.

"Fecha a conta aí, Fumaça!"

Deixei a gorjeta do Fumaça pra ele não contar história e caímos direto na Adega Pérola. Mal entramos e o gringo já tava malucão. Denilson, nosso gerente camisa 10 e grande camarada da República, mandou o que tinha de mais fresco no balcão: camarões, lulas, sardinhas *wallmaps*, polvos, atum, mariscos. Falei para os caras: "Segura aí, negada, é menu degustação, ainda tem muita coisa pra ver".

Seguimos na caminhada até o Pavão Azul, na Barata Ribeiro. Dois chopes só pra acompanhar as pataniscas: o bolinho de bacalhau mais foda do planeta. "E aí, gringo, tá bom ou não?", perguntei.

Da Barata Ribeiro seguimos direto pela Santa Clara até a avenida Atlântica. Fomos trocando uma ideia pelo calçadão, depois na areia, falando, falando, fumando um e falando até chegar à beira do mar, com o Forte de Copacabana bem à nossa frente. O gringo ouviu a história dos Dezoito do Forte — dezessete militares e um civil que resistiram à tomada do quartel e enfrentaram o exército na rua, em plena Atlântica. Desacreditou no tenente Siqueira Campos, um dos únicos sobreviventes da batalha, e que logo depois se juntou à Coluna Prestes, percorrendo mais de 20 mil quilômetros a pé e a cavalo lutando por uma revolução social no Brasil.

Na altura da Souza Lima, passamos em frente ao Garota de Copacabana e ao Gallitos, mas paramos mesmo foi no Bunda de Fora. Gaúcho, o garçom flamenguista, já sabe: Serra Malte e uma rodada de pastel de camarão. Já eram quase nove da noite. Quarta-feira. Roda de bossa nova no Bip. "Peraí, mano, sem pressa, a gente toma mais duas aqui e vai ver o Alfredinho." O gringo, paradão na porta, só olhava. Percebi que ele estava ficando mais por dentro da pegada. Depois daquele primeiro choque no Beco, foi soltando melhor a vela.

"Ô, Gaúcho, fecha a conta que eu tô vazando."

Nove e meia. Bora cair no Bip.

Alfredinho recebeu a gente daquele jeito: "Porra! Entra aí, caralho!". A coisa já tava pegando. Matias no violão, Jiban no baixo, Hugo escorado no único balcão e Arismar do Espírito Santo tirando um som humilhante do violão velho do Bip. De repente, vestido apenas com uma sunga vermelha e a flauta na mão, eis que surge Carlos Malta. A galera não acredita. Malta é muito ninja na transversa. Ninguém tira aquele som que ele faz brincando, de sunga mesmo, nem aí pra nada. Criolo e Zebu ficam na mesa da diretoria, batendo um papo com Alfredinho, e o gringo lá dentro, dividindo o balcão com Hugo, que já tava aplicando no cara os ensinamentos do Bip: "Gringo, aqui não pode fazer barulho. Você pega cerveja sozinho e acerta depois com Alfredo. Não fica parado no corredor pra não

levar esporro e jamais toque em nenhum instrumento. Pandeiro, nunca! Nem o tantan! Alfredinho te mata, cara!". O gringo entendeu tudo: os projetos sociais do Alfredinho, o papel dele na vida cultural do Rio e, achando que ninguém estava prestando atenção, abriu o balde onde estão guardadas as doações e jogou uma bolada de euros. Que porra de cara é esse que se hospeda no Copacabana Palace, gasta quase dez mil em discos, faz o roteiro de bares em Copacabana, põe pra baixo sozinho todas as contas e ainda deixa um maço de euros no balde do Bip?

Ficamos curtindo aquela doideira que estava rolando no Bip até quase meia-noite. Alfredinho e o gringo ficaram falando um monte por mímica. Nos despedimos de Matias, Jiban, Carlos Malta e Arismar e, com Hugo no bando, fomos de táxi até o Zissou, na rua Mena Barreto com Paula Barreto, em Botafogo, onde ele era garçom.

Tuna, o chefe da casa, argentino como Hugo, nos esperava com um chope de trigo naquele ponto crônico de temperatura que só o Zissou tinha. Todo mundo caiu de cabeça nas batatas-bravas. Depois ele ainda mandou a especialidade da casa: *paella*. Durante o tempo de preparo ficamos no chope trincando, acompanhado de Dom Bré, melhor cachaça do mundo, feita artesanalmente por um doidão que se diz alquimista e vive isolado dentro de um alambique em Guarany, Minas Gerais. Na cidade, todos dizem que o nome dele é Geraldo Magela, ou Geraldo Malucão, o Neves. A cachaça é distribuída nos lugares escolhidos meticulosamente por um padre e ex-presidiário de Ilha Grande chamado Amaury, o Linhares, sempre de acordo com o tipo de clientela que frequenta o local. Não tem mala, nem bicão, só privilegiados.

Já eram quase três da manhã. Mas, como diz o moleque Farinon da Vila Mimosa, "a noite não acabou".

Saímos do Zissou e fomos tomar uma em frente ao Bar Alfa, do Mestre Souza. Lá, encontramos Aurélio Kauffmann, *viking* tropical, também conhecido como Valderrama, técnico de som de Alceu Valença e Milton Nascimento, e que carrega uma bagagem pesadíssima por ter trabalhado por anos com Cássia Eller. Eu conhecia muitos malucos por aí, mas poucos como ele. O malandro era sinistro e o gringo simpatizou com ele logo de cara. Assim que o Alfa fechou as portas, seguimos andando, a tropa toda, até a rua Voluntários da Pátria: Criolo, Aurélio, Zebu, Ise, Orion, Hugo, o gringo e eu. Colamos todos no Bar dos Pombos, e quem estava lá? Sim, os próprios: Xico Sá, Otto, Lírio Ferreira, Cláudio Assis e mais um marginal vindo de São Paulo chamado Mario Bortolotto. O bonde do Furacão Olinda. *Tsunami* de palavras, discursos, apartes, mais cachaça, mais cerveja. O samádi dos bares, o nirvana dos porres.

Quando o sol bateu na calçada, lá pelas cinco e meia, um a um os malucos foram indo embora. E quando eu também já seguia o fluxo, escuto o gringo me chamar: "Aí, Japa, você é o cara. Prometeu e cumpriu. Ainda hoje o mensageiro do hotel vai levar a diária que eu tinha combinado".

Eu estava tão ferrado de sono, bêbado, sem banho e deseperado por ter que estar pronto para o trabalho em menos de três horas que eu nem dei muita moral. Àquela hora, daquele jeito, não conseguia pensar em nada. Eu só queria voltar pro MaGriffe, deitar naquela cama imunda e tentar ficar o menos fodido pra quando chegasse a hora de encarar o trampo.

Acordei com uma cara tão fora de sintonia, que a Lurdinha nem fez a sua tradicional piadinha de todas as manhãs.

Sem muito papo, já peguei o pano e o álcool gel na dispensa para me livrar da limpeza dos livros o mais cedo possível.

Ainda nem tinha começado a via-crúcis da poeira quando vejo Balbi Zebu e um mensageiro do Copacabana Palace segurando um embrulho. Me lembro até hoje do nome que li no crachá de metal dourado: Dilson Assis.

"Que é isso, Zebu? O pacote é tão importante assim que precisa de escolta?"

"Não, mano, é pra ter certeza que ia chegar mesmo", respondeu. "Foi o gringo que mandou. Tem uma carta aí, também."

Depois de dadas as devidas instruções, Zebu e o mensageiro Assis saíram rapidamente da livraria. Pedi um tempo pro gerente e fui abrir o embrulho no MaGriffe. A carta do gringo dizia o seguinte:

Meu caro amigo Japa,

    Muito obrigado pela noite mais incrível da minha vida.
    Na Inglaterra, não costumo fazer muitas farras.
    Foi maravilhoso descobrir tanta beleza na música, nas ruas e na amizade de vocês.
    Levo comigo este tesouro.
    Jamais me esquecerei.
    Mande meu abraço a todos os compays e também ao pessoal do Bip.

    P.S.: Atenção: neste embrulho que o mensageiro entregou seguem quatro pinturas minhas. São originais. É o meu presente para você depois de tanta gentileza. Junto com elas, vai também o certificado de legitimidade. Aproveite como quiser e, mais uma vez, muitíssimo obrigado, amigo Japa.

    Ass: Banksy — Rio, quinta-feira, 14 de maio de 2015.

43.

De todas as fases que passei na vida, a maioria foi fruto direto de acasos. Somente dois ou três empregos que tive em trinta e poucos anos de rua foram propositais. Desses, principalmente entre a adolescência e a vida adulta, não aposto um sem cagada.

E se eu não tivesse ido até o final e, de língua, beijado a lona? O tempo ensina: beijar a lona com grandeza é coisa para poucos. Com derrocadas tão intensas, só perdem aqueles que nelas não se inspiram.

26 de agosto de 2015: seis anos tocando todos os dias no Beco das Garrafas. Na mente, a lembrança de que nada do passado me prende. E do futuro nada espero. Uma coisa a gente sabe, como ninguém: tem que correr com o presente até que nem ele nos alcance. Senão vira futuro. E o futuro sempre cobra.

Daquela rotina de limpar livros, atender em balcão, beber em pé-sujo e andar pra todo lado com dor de dente e conta na pendura não esperava mais nada. Tantas idas, vindas, voltas, fugas e desencontros me fizeram acreditar que aquele tipo de vida que eu levava solto pela zona sul estava mais do que seguro.

Eu tinha mesmo era que me esforçar ao máximo para não cair além daquele buraco moral. Decidi me aposentar de todas as demais competições que a vida impõe. A partir de então, não queria disputar mais nada, nem *status*, nem emprego, aumento de salário, sogra contente, nem namorada feliz. Desertei de tudo que representasse qualquer apego.

Não faria nada além de seguir o som daquele beco sem saída. Entrei numa espécie de improviso que tocava comigo mesmo no palco vazio do Little Club e do Bottle's. O tom que mandasse eu entrava. Tocaria todas. E algo me dizia que, dali pra frente, tocaria ainda mais.

Peguei um ônibus na Nossa Senhora de Copacabana e fui de 433 até a Lapa. Chegando lá, acendi um embaixo dos Arcos e caminhei na direção do Bar Semente, quando vi ninguém menos que Paulo Moura, parado na porta do bar com o clarinete na mão.

Era uma entidade.

Ele ergueu a cabeça, me olhou de frente e disse: "Garoto, as coisas só acontecem quando a música chama".

Abri os olhos e apostei tudo o que não tinha. Dali em diante, começava a parte da minha vida que passei a chamar de Música, com letra maiúscula e recompensa no final.

Paulo Moura, na porta do bar, era o Exu trazendo a mensagem.

E ela nunca mais me saiu da cabeça.

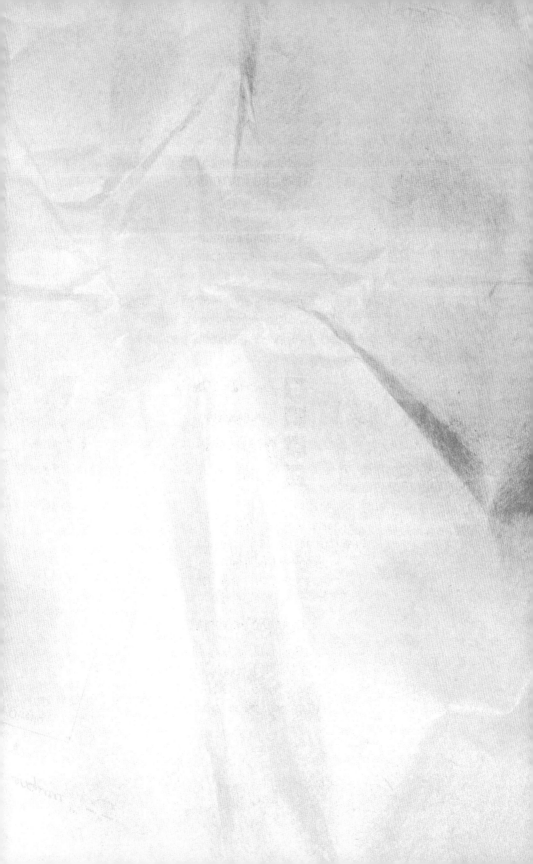

INFORMAÇÕES SOBRE A
GERAÇÃO EDITORIAL

Para saber mais sobre os títulos e autores
da **GERAÇÃO EDITORIAL**,
visite o *site* www.geracaoeditorial.com.br
e curta as nossas redes sociais.

Além de informações sobre os próximos lançamentos,
você terá acesso a conteúdos exclusivos
e poderá participar de promoções e sorteios.

geracaoeditorial.com.br

/geracaoeditorial

@geracaobooks

@geracaoeditorial

Se quiser receber informações por *e-mail*,
basta se cadastrar diretamente no nosso *site*
ou enviar uma mensagem para
imprensa@geracaoeditorial.com.br

GERAÇÃO EDITORIAL

Rua Gomes Freire, 225 – Lapa
CEP: 05075-010 – São Paulo – SP
Telefax: (+ 55 11) 3256-4444
E-mail: geracaoeditorial@geracaoeditorial.com.br